古典·哲学时代

孙子浅说

蒋百里　刘邦骥 / 著　　马东峰 / 主编

北京理工大学出版社
BEIJING INSTITUTE OF TECHNOLOGY PRESS

《古典·哲学时代》编委会

主　　编：马东峰
执行主编：河红联
编　　委：王钦刚　华　亮　李艳洁
　　　　　王　洁　周大力　刘立苹
　　　　　王晶瑾　马　达

作者自序

古之治孙子学者，盖亦众矣。《隋书·经籍志》所载，自曹公外，有王凌、张子尚、贾诩、孟氏、沈友诸家。《唐志》益以李筌、杜牧、陈皞、贾林诸家。马端临《经籍考》又有纪燮、梅尧臣、王皙、何氏诸家。宋《艺文志》又益以朱服、萧吉、宋奇诸家。纪文达编《四库全书总目·兵家类存目》尚有《孙子参同》五卷，不著撰人姓氏，杂采曹公、李筌、杜佑、陈皞、贾林、孟氏、梅圣俞、王皙、杜牧、何延锡、张预、解元、张鳌、李材、黄治徵十五家之说，又有郑端《孙子汇澂》四卷。此二书皆不传。惟宋吉天保所辑之《孙子十家会注》最为善本。十家者，魏武、李筌、杜牧、陈皞、贾林、孟氏、梅圣俞、王皙、何延锡、张预也。《十家注》内又有杜佑之说，盖杜佑作《通典》引用《孙子》而参释之，非注也。又道藏本有郑友贤《孙子遗说》一卷。又明人茅元仪《武备志》中有《孙子兵诀评》一卷。明人赵虚舟有《孙子注》一卷。合而观之，则二十余家矣。故居今日而谈兵学，当以《孙子十家注》为善本，而参观诸家之说，庶乎近之。然初学苦其系难，且各家亦互有异同，初学靡所适从。爰仿黄廉访（云鹄）《学易浅说》之例，作为《孙子浅说》，言取其近、旨取其约，使初学易于毕业而已。若欲深造自得，则《十家注》原本及诸家刻本具在，可取而研究之也。

十家之注不可谓不详且尽矣，有精于义理者、有精于训诂者、有精于考据者，通训定声、引经据史，博赡鸿富、灿然杂陈。然学者恒苦其汗漫无涯，莫得其纲领、难寻其条目，几如一屋散钱无从贯串，亦读《孙子》者之大憾事也。惟张预于每篇题目之下，间亦记其编次之意，然不能曲尽其妙。兹编分门别类、提要钩玄，揭其纲领、列其条目，必使全书脉络贯通、气息条畅。庶几读《孙子》者不苦其繁冗、不厌其重复，而孙子当日含毫吮墨、惨淡经营之奥旨或可微窥其一二也。

十三篇结构缜密、次序井然，固有不能增减一字、不能颠倒一篇者。《计篇第一》总论军政，平时当循正道，临阵当用诡道，而以妙算为主，实军政与主德之关系也。第二篇至第六篇，论百世不易之战略也。第七篇至第十三篇，论万变不穷之战术也。《作战第二》论军政与财政之关系也。《谋攻第三》论军政与外交之关系也。《形篇第四》论军政与内政之关系也。《势篇第五》论奇正之妙用也，《虚实第六》论虚实之至理也，此二篇皆发明第一篇之诡道也。《军争第七》者，妙算已定、财政已足、外交已穷、内政已饬、奇正变术已熟、虚实之情已审，即当授为将者以方略，而战斗开始矣。《九变第八》论战斗既起，全在乎将之得人乃能临机应变，故示后世以将将之种种方法；九者，极言其变化之多也。《行军第九》论行军之计划也。《地形第十》论战斗开始之计划也。《九地第十一》论战斗得胜、深入敌境之计划，故以深知地形为主；地形之种类不可枚举，故略举其数目九也。《火攻第十二》者，以火力补人力之不足也。《用间第十三》者，以间为诡道之极则，而妙算之能事尽矣，非有道之主则不能间，而反为敌所间，可见用间为妙算之作用也。准此以读十三篇，若网在纲，有条不紊，不能增损一字，不能颠倒一篇矣。

十三篇各家注本传写异辞，兹编以孙渊如先生校勘本为主。盖以孙氏尝用古本亦正其文，而当时又与吴念湖太守及毕愆溪孝廉互相商榷。虽其间亦有明知其传写之误，不若明人茅元仪、赵虚舟刻本之善者。如"蒋潢井生"四字，茅本、赵本均作"潢井"；"四五者"三字茅本作"此三者"，而孙氏当日曾见明人刻本亦未尝改正，则亦姑存疑而已。

谈兵之法自以求之史例为主，是以十家中如杜牧、何延锡、张预诸君均详征史事以为证，此千古不易之法也。兹编以贯串为主义，务使学者知其类别、明其条理，故史证一概从略。因十家注中举隅已多，而赵虚舟注本亦复引类甚繁，学者触类而旁通之，则亦不可胜用也。

《中庸》三十三章亦如一屋散钱，非得朱子析其类别、示以条理，则几乎不知其命意之所在。兹编窃取斯意，亦未知有当万一否也。

十三篇字字精审，读其书者但当求其义理、通其训诂、参以考据，而不可有所攻击，此定理也。然《用间篇》末以伊吕为汤武之间谍，似未雅驯，宜乎赵虚舟氏谓其"一言以为不知"也，因详加辩论如下，亦正人心、厚风俗之意而已。

黄廉访《学易浅说》历征前贤之说，合于孔子者录而存之，否则不录，亦不置辨。兹编对于各家注解亦本斯意，凡合于孙子之微言大义者存之，或全录其文，或节取其义，或参合数家之说联缀成文，以便诵习；不合者不录，亦不置辨。间亦窃附己意，有为前人所未发者，极知僭逾无所逃罪，然为羽翼《孙子》于新学说萌芽时代，亦使今之学者知新学之知识皆不能出前贤范围也。

徐世昌序

《孙子十三篇》自汉迄明,注者多至二十余家。其传于今世者,惟《孙子十家注》最为善本。是本为宋吉天保所集,名曰《十家会注》,乃阳湖孙渊如先生得自华阴道藏,校勘梓行于世,即今刘君邦骥《孙子浅说》所依据者也。

孙子著书旨趣,刘君衡以今世情势既以发泄无遗。且于《九地篇》"重地则掠",注家以为因粮于敌者,刘君谓与近时学说相违,行军要素当定军用价目,招致商贾,则四民不扰,阻力潜消,而在敌地,尤为紧要。若肆行抄掠,则商贾裹足,是自绝其粮道也,此古法之不可行者也。其立论如此,尤非泥古而不适于今者可以伦比。

夫国于天地,必有与立,而当群国竞争之世,莫亟于治兵。特兵家者流,大抵以权谋相尚,儒家者流又往往瞢于时事、讳言军旅,盖两失之。予惟古之善治国而兼善治兵者,曰管子、曰商君、曰诸葛孔明之三人者,皆先求自治而后用以制敌者也。今观孙子之书，其第一之《计篇》有曰"主孰有道"，第四之《形篇》有曰"修道保法"。刘君揭明其为主德内政之纲要。然则孙子虽兵之权谋家，固亦以制敌之方基于自治，非徒诡道取胜侥幸一试，遂能长此自立于不败也。

且世变相寻，学说之误人最甚。祭公谋父曰："先王耀德不观兵。"老子曰："佳兵者不祥。"讲学家视为格言，往往天下已定，上恬下嬉，人不知兵，一再传而遂至大乱。盖承平一统之世，军政弗修，其召祸且有如此者。昔者周公致政，作《立政》以戒成王曰"其克诘尔戎兵"，或犹谓殷难初平，成王始政则然也，乃成康之际，刑错四十余年。召公之诰康王也，曰："张皇六师，无坏我高祖寡命。"老成谋国，动辄谆谆于戎兵六师者，何哉？盖天下晏然，朝野相安于无事，不期而盗贼内发，不期而边衅偶开，故武备不可以废弛也。其曰"诘尔"，虑军械或不完军额，或不足也。其曰"张皇"，虑军械虽完、军额虽足，而训练或不精、校阅或不勤也。

后世人主用兵制敌者多矣，制敌得志则如卫、霍之创匈奴，制敌不得志则如韩、范之御西夏。论者犹以穷兵非之，不知汉宋之病在不先力求自治，乃并其力求制敌，而概以为不然。是皆误于偃武修文之一说，以故黄帝神明之胄陵夷积弱以至于今，几几不能自振也。

《孙子》一书文字不多，文义亦非甚艰深，初学皆可以卒读。惟旧注随文解释，散漫无归。刘君依赵岐《孟子注》例，逐篇发明章旨。十三篇丝联绳贯、条理井然，于学师讲授尤便自宜，颁之学校，专立为科。俾吾中华民国，知国势岌岌，非武力不足以自存。国家将竭全力以注意于兵，为民人者人人有征调之定期，为军人者人人晓韬略之大意，则此书有功于吾国甚伟。虽名之曰"孙子兵经"，盖亦未尝不可。

　　抑予更有厚望者。古之所重者在军谋，今之所重者在军实，军实之费有百倍于孙子所谓"兴师十万，日费千金"者。器不出于吾国则购用鲜良，财不裕于平时则制造无力，必自治不失其道而后财用可筹。财用不竭其源，而后军实可备。善读《孙子》者，不徒诩其制敌之神奇，务求其自治之巩固。医国之方，其在是欤！

天津　徐世昌序

目　录

作者自序 …………………………………………… 1

徐世昌序 …………………………………………… 5

孙子浅说

计篇第一　论军政与主德之关系 ……………… 5
作战篇第二　论军政与财政之关系 …………… 13
谋攻篇第三　论军政与外交之关系 …………… 21
形篇第四　论军政与内政之关系 ……………… 31
势篇第五　论奇正之妙用 ……………………… 39
虚实篇第六　论虚实之至理 …………………… 47
军争篇第七　论普通战争之方略 ……………… 55
九变篇第八　论临机应变之方略 ……………… 63
行军篇第九　论行军之计划 …………………… 71
地形篇第十　论战斗开始之计划 ……………… 81
九地篇第十一　论战斗得胜深入敌境之计划………… 89

火攻篇第十二　论火攻之计划⋯⋯⋯⋯⋯⋯⋯⋯⋯ 105
用间篇第十三　论妙算之作用⋯⋯⋯⋯⋯⋯⋯⋯⋯ 113

孙子新释
缘起⋯⋯⋯⋯⋯⋯⋯⋯⋯⋯⋯⋯⋯⋯⋯⋯⋯⋯⋯⋯ 125
计篇⋯⋯⋯⋯⋯⋯⋯⋯⋯⋯⋯⋯⋯⋯⋯⋯⋯⋯⋯⋯ 127

孙子浅说

蒋百里 刘邦骥/著

统读十三篇，以主德始，以妙算终，此孙子之微言大义也。其每篇标题之字，亦不过如"学而"、"雍也"之类，勿庸刻舟求剑。他本《计篇》、《形篇》、《势篇》有作《始计篇》、《军形篇》、《军势篇》者，殊未当也。《势篇》之首以奇正虚实对举，而下文专论奇正，颇似制艺中上全下偏体裁。若欲与《虚实篇》对待标题，则即题为"奇正篇"亦可也。然古人决不如此板滞，亦"学而"、"雍也"之意而已。世儒见"九变"、"九地"两"九"字对举，遂指"九变"为九地之变。胶柱鼓瑟，滞碍甚多，均辞而辟之矣。

计篇第一　论军政与主德之关系

管子曰:"计先定于内,而后兵出于境。"故用兵之道,以计为首也。

此一篇论治兵之道在于妙算,而以"主孰有道"一句为全篇之要旨。盖主有道,则能用正道亦能用诡道,无往而不胜矣;所以篇末即专重于妙算也。宜分为四节读之:自首至"不可不察"为第一节,总论兵为国之大事,死生存亡所关,不可不察;自"故经之以五校之计"至"必败,去之"为第二节,论治兵之正道;自"计利以听"至"不可先传也"为第三节,论用兵之诡道;自"夫未战"至末为第四节,总论胜负之故,仍以妙算为主,惟有道之主而后妙算胜也。

孙子曰:兵者,国之大事,死生之地,存亡之道,不可不察也。

右(上)第一节,总论兵为国之大事,国之存亡、人之生死皆由于兵,故须审察也。

故经之以五校之计而索其情:一曰道,二曰天,三曰地,四曰将,五曰法。道者,令民与上同意也,故可与之死,可与之生,而民不畏危。天者,阴阳、寒暑、时制也。地者,远近、险易、广狭、死生也。将者,智、信、仁、勇、严也。法者,曲制、官道、主用也。凡此五者,将莫不闻,知之者胜,不知者不胜。故校之以计而索其情,曰:主孰有道?将孰有能?天地孰得?法令孰行?兵众孰强?士卒孰练?赏罚孰明?吾以此知胜负矣。将听吾计,用之必胜,留之;将不听吾计,用之必败,去之。

右第二节,皆论治兵之正道也。五校之计,以道为最要。道,即仁义之谓也。故得其道,则民可与共生死而不畏危,道之时义大矣哉。天为阴阳、寒暑、时制也者。阴阳者,相其阴阳,以为驻军之预备,《行军篇》所谓"贵阳贱阴"、《地形篇》所谓"先处高阳"之类是也。寒暑者,审量寒暑,以为行军作战之预备。将欲北征,必筹防寒之具;将欲南征,必筹防暑之具;或冬夏兴师之时,则防寒防暑之具尤为紧要是也。时制者，因时制宜以筹兵器、堡垒之进步改良也。上古为白刃时代，中古为火攻时代，近古为枪炮时代，皆因时定制也。此三者皆关乎天之方向、天之气候、天之运会，故曰天也。地为远近、险易、广狭、死生者，即第十篇"地形"是也，所谓"用兵者贵先知地形也"。将为智、信、仁、勇、严者。能机权、识变通之谓"智"，刑赏不惑之谓"信"，爱人悯物之谓"仁"，决胜乘势之谓"勇"，威刑肃三军之谓"严"；此五德者，为将者所宜备也。法为曲制、官道、主用者。曲制为部曲之制，若今之军制司所掌者是也；官道者，任官分职之道，若今之军衡司所掌者是也；主用者，掌军之费用，若今之军需司所掌者是也。凡此五者，皆为将之要道，故为将者"知之则胜，不知则不胜也"。"校之以计"者，谓当尽知五事、待七计，以尽其情。"主孰有道"，即五校之道也；"将孰有能"，即五校之将也；"天地孰得"，即五校之天与地也；"法令孰行"、"兵众孰强"、"士卒孰练"、"赏罚孰明"者，即五校之法也；此七者乃五校之纲目也。将听吾计必胜者，吾即主也，主与将同心合德，则未有不胜者矣。然必有道之主乃能将将，吾故曰"主孰有道"为此篇之要旨也。此以上皆言治兵之正道也。

计利以听，乃为之势，以佐其外。势者，因利而制权也。兵者，诡道也。故能而示之不能，用而示之不用；近而示之远，远而示之近。利而诱之，乱而取之，实而备之，强而避之，怒而挠之，卑而骄之，佚而劳之，亲而离之。攻其无备，出其不意。此兵家之胜，不可先传也。

右第三节，皆论用兵之诡道也。"计利以听，乃为之势，以佐其外"者，计利既定，则当乘形势之便以运用于常法之外也。势者，因利而制权也者，因利行权以制之也。兵者，诡道也者，兵不厌诈之谓也。"能而示之不能"者，强而示之以弱也。"用而示之不用"者，外示之以怯也。"近而示之远，远而示之近"者，令敌失备也。"利而诱之"者，彼贪利则以货诱之也。"乱而取之"者，诈为纷乱，诱而取之也。"实而备之"者，敌治实，须备之也。"强而避之"者，避其所长也。"怒而挠之"者，敌持重，则激怒以挠之也。"卑而骄之"者，示以卑弱，以骄其心也。"佚而劳之"者，多奇兵以罢劳之也。"亲而离之"者，以间离之也。"攻其无备，出其不意"者，击其懈怠，袭其空虚也。"此兵家之胜，不可先传也"者，临敌应变制宜，不可须言者也。此以上皆言用兵之诡道也。总而言之，正道、诡道皆以庙算为主，故下文即申明庙算以总结之。

> 夫未战而庙算胜者，得算多也；未战而庙算不胜者，得算少也。多算胜，少算不胜，而况于无算乎！吾以此观之，胜负见矣。

右第四节，本上文"道"字及"主孰有道"以立言，故推本于妙算也。妙算者，即主之道也。五校七事十二诡道，皆妙算也。筹策深远，则其计所得者多；谋虑浅近，则其计所得者少。故曰多算少算，不必泥乎数目之多少也。然妙算之多少，仍为有道之主言之。若无道，别无算矣。故曰全篇要旨，在乎"主孰有道"也。此"主"字，因时代不同，其解释亦不能不为之详说，以坚军人信仰拱卫之心，而奠国家长治久安之计。旷观中国五千年历史，所谓"主"者，专属之皇帝，无论其传贤也、传子也、官天下也、家天下也，亦无论其自称之如何，"皇王后辟"可也、"甲乙丙丁"亦可也，但使其尊无二上，遂群以皇帝目之，此中国历史之旧观念也。横览外国五大洲国体，则所谓"主"者，确有二义：传子之家天下，则谓之皇帝；传贤之官天下，则谓之大总统。其实皆尊无二上之代名词，有总揽全国主权、土地、人民之全权，而毫不受外国之干涉、牵制、侵夺、保护者。

则无论其为皇帝、为大总统,均为全国之主。此地球各国之新解释也。在孙子当日,对吴王阖闾立言,则此"主"字,不过狭义而已。然兵学为立国之要素,而孙子之精义,古今中外咸不能出其范围,则其所谓"主"之广义,即尊无二上之皇帝及大总统也。是故人民对于主,有当兵之义务,有纳税之义务,有神圣不可侵犯之义务,而主之对于人民,当以有道为标准。此天下古今万国之通义也。

作战篇第二　论军政与财政之关系

王晳曰:"计以知胜,然后兴战,而具军费,犹不可以外也。"

此一篇论军政与财政之关系。凡作战之道,宜速不宜久,故以"久"字为全篇之眼目,治军者所当深戒也。宜分四节读之:自篇首至"其用战也胜"为第一节,论军之编制及饷需也;自"久则钝兵挫锐"至"十去其六"为第二节,论军久则财匮也;自"故智将"至"益强"为第三节,论军胜则可以得敌之财,而节省己之财也;末则大书特书曰"兵贵胜,不贵久",民命所关、国家安危之所系也。故曰此一篇论军政与财政之密切关系,不可不慎也。

孙子曰:凡用兵之法,驰车千驷,革车千乘,带甲十万,千里馈粮,则内外之费、宾客之用、胶漆之材、车甲之奉,日费千金,然后十万之师举矣。

其用战也胜。（此句诸家聚讼纷如。《御览》作"其用战也，久则钝兵挫锐"，无胜字，而以久字属下。然去一"胜"字，殊觉未安。诸家皆作"胜久"，亦觉费解。茅元仪作"其用战也胜"为句，以足上文之意，较为稳妥，故从之。）

右第一节，论军之编制及饷需也。古者十万之师，其编制为驰车千、革车千。驰车，轻车也，即攻车也。每车一乘，前拒一队，左右角二队，共七十五人。千乘，则七万五千人矣。革车，重车也，即守车也。每车一乘，炊子十人，守装五人，厩养五人，樵汲五人，共二十五人。千乘，则二万五千人矣。乘，驷马也。千乘即千驷也，共马八千匹也。此一军之编制也。"千里馈粮"者，即今之兵站部是也。"内外之费"者，军出于外，则帑藏竭于内也。"宾客之用"者，李太尉曰："三军之门，必有宾居论议也。""胶漆之材，车甲之奉"者，举其细者大者约言之也。"日费千金"者，概算也，此一军之饷需也。以上言十万之师，一日之费如此，则多一日，即竭一日之财，可见师老则财必匮也。"其用战也胜"者，谓十万之师用之于战，有可胜之道也。以上论军之编制，及饷需之大概情形也。

久则钝兵挫锐，攻城则力屈，久暴师则国用不足。夫钝兵挫锐，屈力殚货，则诸侯乘其弊而起，虽有智者，不能善其后矣。故兵闻拙速，未睹巧之久也。夫兵久而国利者，未之有也。故不尽知用兵之害者，则不能尽知用兵之利也。善用兵者，役不再籍，粮不三载；取用于国，因粮于敌，故军食可足也。国之贫于师者远输，远输则百姓贫；近于师者贵卖，贵卖则百姓财竭，财竭则急于丘役。力屈财殚，中原内虚于家。百姓之费，十去其七；公家之费，破车罢马；甲胄矢弩，戟楯蔽橹，丘牛大车，十去其六。

右第二节，极论军久则财匮也。"久则钝兵挫锐，攻城则力屈，久暴师则国用不足"者，力言久战之足以亡国。以下遂重言反覆以申明之，无非以兵久则财匮，财匮于上，则民怨于下，敌国乘其危殆而起，虽伊吕复生，不能救此败亡也。故用兵之道，以拙速为主，巧则必不能久，故曰未睹也。拙者，并气积力，加以谋虑，一举而灭之，使敌人失其战斗力，非拙笨之谓也。巧者，诡道之类，可以用于一时，决不可以持久，久则恐生后患也。总而言之，用兵久则非国之利，故曰"兵久而国利者，未之有也"，故用兵者当先知用兵之害，不知其害则不知其利也。用兵之害，即老师殚货之谓也。用兵之利，即擒敌制胜之谓也。必先去其害，而后可言利也。"役不再籍"者，一战而者，不再发兵也。"粮不三载"者，往则载焉，归则迎之，不三载也。不困乎兵，不竭乎国，此即所谓速而利也。"取用于国"者，兵甲战具取用于国中也。"因粮于敌"者，入敌国则资敌之粮也。此以上言善用兵者之效也。"远输则百姓贫"者，远输则农夫耕牛俱失南亩，故百姓贫也。"贵卖则百姓财竭"者，师徒所聚，百物暴贵，人贪非常之利，则竭财力以卖之。初虽获利，终必力疲货竭也。"财竭则急于丘役"者，使丘出甸赋，违常制也。丘，十六井也；甸，六十四井也。丘出甸赋，则是以丘而担负一甸之役也。"中原内虚"、"百姓之费，十去其七"者，民不聊生之谓也。此以上言民之困也。"破车"者，以久战而破也。"罢马"者，以久战而疲也。甲胄矢弩、戟楯蔽橹、大牛大车，以久战而十去其六也。此以上言公家之困也。总而言之，军久则财匮也。

故智将务食于敌。食敌一钟，当吾二十钟；其秆一石，当吾二十石。故杀敌者，怒也；取敌之利者，货也。故车战，得车十乘以上，赏其先得者；而更其旌旗，车则杂乘之，卒善而养之，是谓胜敌而益强。

右第三节，极言胜之利也。胜则不失我之财，而可以得敌之财，且可以益我之财也。得敌之一钟一石，皆有二十倍之利也。"杀敌者，怒也；取敌之利者，货也"者，此二句言欲因粮于敌者，当先激吾人以怒，利吾人以货。怒则人人自战，以货陷之则人自为战，必可以破敌而得其军实也。"得车十乘已上，赏其先得"者，奖一以励百也。"更其旌旗"者，变敌之色令与吾同也。"车杂而乘之"者，与我车杂用也。"卒善而养之"者，抚以恩信，使为我用也。此以上言处置战利品及俘虏之方法也。"是谓胜敌而益强"者，因敌以胜敌，何往而不强也。此又总结上文，善用兵者之效果，皆胜之利，非久之利也。

  故兵贵胜，不贵久。故知兵之将，生民之司命，国家安危之主也。

右第四节，极言与其久也，不如其胜也。所以重言以申明作战之本旨，在此不在彼也。必如此而后可谓之知兵之将，可以为民之司命，可以为国家安危之主矣。故曰此一篇论军政与财政之关系也。

谋攻篇第三 论军政与外交之关系

王晳曰:"谋攻敌之利害,当全策以取之,不锐于伐兵攻城也。"

此一篇论军政与外交之关系。军政者,外交之后盾;而外交者,军政之眼目也。以"知己知彼"四字,为全篇之归宿。知己者,军政也;知彼者,外交也。无军政,不可以谈外交;无外交,亦不能定军政之标准也。全篇宜分为六节读之:第一节自首至"善之善者也",论谋攻之本源,军政修自然无外患,此谋攻之根本问题也;第二节自"上兵伐谋"至"攻之灾",论谋攻之巧拙均视乎外交,外交得则军政得,外交失则军政失也;第三节自"善用兵者"至"大敌之擒也",论谋攻之利害方法,悉以外交为眼目也;第四节自"夫将者"至"乱军引胜",论不知谋攻之要旨,则外交失败,而诸侯之师至矣;第五节自"知胜有五"至"知胜之道",实以外交之眼光、心力,定军政之因革损益也;第六节大声疾呼曰"知己知彼,百战不殆",以见谋攻之要旨,其本源实系乎外交,此全篇之大旨也。

孙子曰:凡用兵之法,全国为上,破国次之;全军为上,破军次之;全旅为上,破旅次之;全卒为上,破卒次之;全伍为上,破伍次之。是故百战百胜,非善之善者也;不战而屈人之兵,善之善者也。

右第一节,论谋攻之本源,当计出万全。"全国"者,以方略气势令敌人以国降,上策也。"全军"者,降其城邑,不破我军也。五百人为旅,百人以上为卒,五人为伍。国军卒伍,不问大小,全之则威德为优,破之则威德为劣也。百战百胜,必多杀伤,故曰"非善"也。未战而敌自屈服,即以计胜敌也,故曰"善"也。此以上言谋攻之本源也,军政修则自然无外患也。

故上兵伐谋,其次伐交,其次伐兵,下政攻城。攻城之法,为不得已。修橹轒辒,具器械,三月而后成;距堙,又三月而后已。将不胜其忿而蚁附之,杀士三分之一,而城不拔者,此攻之灾。

右第二节,言谋攻之巧拙,视乎外交。外交得则可以伐谋伐交，而军政得矣；外交失则伐兵攻城，而军政失矣，所谓"攻之灾"也。"伐"有竞争之义，与《尚书》"不矜不伐"之"伐"同解。"上兵伐谋"者，胜于无形，以智谋屈人，最为上也。"其次伐交"者，交合强国，使敌不敢谋我；或先结邻国，为犄角之势，则我强而敌弱也。此二者，即以外交为军事之耳目也。至于"伐兵"，则临敌对阵矣，故又为其次。至于不得已而攻城，则顿兵坚城之下，师老卒惰、攻守殊势、客主力倍，胜负之数尚未可知，故曰下政也。自"修橹"至"攻之灾"，极言攻城之害，非不得已不为此也。"橹轒辒"者，飞楼云梯之属。"距堙"者，积土为山曰"堙"，以距敌城、观其虚实也。"蚁附"者，使士卒缘城而上，如蚁之缘墙也。可见伐谋伐交者，外交之得手也；伐兵攻城，则无外交之可言也。

故善用兵者，屈人之兵而非战也，拔人之城而非攻也，毁人之国而非久也。必以全争于天下，故兵不顿而利可全，此谋攻之法也。故用兵之法，十则围之，五则攻之，倍则分之，敌则能战之，少则能逃之，不若则能避之。故小敌之坚、大敌之擒也。

右第三节，前言全争全利，皆外交之手腕也；后言伐兵及不得已而攻城，亦有其要道焉，否则必成擒也。"屈人之兵而非战"者，言伐谋伐交不至于战也。"拔人之城而非攻，毁人之国而非久"者，攻则伤财，久则生变，皆全国全军全旅全卒全伍之谋也。"全争于天下"者，即全国全军全旅全卒全伍之谓。以全胜之计争天下，是以不烦兵而收利也。此以上皆言伐谋伐交之方法，故曰谋攻之法也。自此以下，则言伐兵攻城，利害参半，终不若伐谋伐交之全利也。"十则围之"者，彼一我十，可以围也。"五则攻之"者，三分攻城，二分出奇以取胜也。"倍则分之"者，分为二军，使其腹背受敌也。"敌则能战之"者，势力均则战也。"少则能逃之"者，逃伏也，谓能倚固逃伏以自守也。"不若则能避之"者，引军避之，待利而动也。"小敌之坚，大敌之擒也"者，承上文而言，不逃不避，虽坚亦擒也。自此以上，皆言伐兵攻城之利害相半也。故曰谋攻之利害方法，悉以外交为眼目也。

夫将者，国之辅也。辅周则国必强，辅隙则国必弱。故君之所以患于军者三：不知军之不可以进，而谓之进，不知军之不可以退，而谓之退，是谓縻军；不知三军之事，而同三军之政者，则军士惑矣；

谋攻篇第三　论军政与外交之关系

不知三军之权，而同三军之任，则军士疑矣。三军既惑且疑，则诸侯之难至矣，是谓乱军引胜。

右第四节，论为君为将者，不知谋攻之要旨，而不以外交为军政之眼目，一意孤行则无有不败亡者也。将为国辅者，此"将"之广义也。言为"将"者，不但以能统兵为天职，尤当洞明外交大势，以辅其国。所以今之公使馆皆派驻武官，专以刺探敌国之兵备、政治、国交为主。将周则强，将隙则弱，故选定驻外武官，不可不慎。（此事求之历史，颇乏先例，惟《管子·小匡篇》使隰朋为行，曹孙权处楚，商容处宋，季劳处鲁，徐开封处卫，鄱上处燕，番友处晋，有似乎驻外特派员之例，然未限用武官。盖古者文武之界未分，凡为将者，未有不敦诗说礼者也。惟秦伯之复用孟明，实因其久驻外国而利用之，颇有似乎驻外武官之义。不过当时情势，未尝特派耳。）"周"者，才智周备也。"隙"者，才不周也。将得其人，则为君者不可从中御，所谓"将在外，君命有所不受"也。若君必从中御，则其患有三：一曰縻军，二曰惑军，三曰疑军。縻军者，进退失据，是縻绊其军也。惑者，不知治军之务而参其政，则军众惑乱也。疑者，不知权谋之道而参其任，则军众疑贰也。縻之于中而疑惑于外，军政废弛，而诸侯之师至矣。是自乱其军而自去其胜也，尚何外交之可言哉。

故知胜有五：知可以战与不可以战者胜，识众寡之用者胜，上下同欲者胜，以虞待不虞者胜，将能而君不御者胜。此五者，知胜之道也。

右第五节，论谋攻之道，当以外交之眼光、心力，定军政之因革损益也。"可以战与不可以战"者，即料敌之虚实也。"识众寡之用"者，用兵之法，有以少胜众、以多胜寡者，所谓师克在和也。"上下同欲"者，上下共同其利欲也。"以虞待不虞"者，以我有法度之师，击彼无法度之兵也。"将能而君不御"者，阃以外，将军制之也。此五者，皆准两军之得失言之也。敌知此则敌胜，我知此则我胜，是之谓"知胜之道"。故曰以外交之眼光、心力，定军政之因革损益也。

故曰：知彼知己，百战不殆；不知彼而知己，一胜一败；不知彼不知己，每战必败。

右第六节，言谋攻之要旨，全系乎外交。所以谓外交为军政之眼目，而军政为外交之后盾，诚千古不刊之论也。所谓"知己知彼，百战不殆"者，外交详慎、军政修明，自然百战不殆也，所谓"审知彼己强弱之形，虽百战实无危殆"也，即上文伐谋伐交全争全利之谓也。

"不知彼而知己,一胜一负"者,所谓守吾气而有待,知守而不知攻也。"不知彼不知己,每战必殆"者,是谓狂寇,不败何待也。不知彼,即不知伐谋伐交之谓也;不知己,即不知伐兵攻城之谓也。四者俱失,则内政外交均失败矣,乌足以言谋攻哉!

形篇第四　论军政与内政之关系

杜牧曰："因形见情。无形者情密，有形者情疏。密则胜，疏则败也。"

此一篇论军政与内政之关系，以修道保法为一篇之主脑。其以"形"名篇者，有有形之军政，有无形之军政。有形之军政，即兵器、战备、营阵、要塞之类是也；无形之军政，即道与法是也。而道与法皆内政之主体，故曰此篇为军政与内政之关系也。宜分四节读之：第一节自首至"不可为"，论军政当以修道保法为不可胜之形，此所谓无形之军政也；第二节自"不可胜者守也"至"全胜也"，论有形之军政，无论攻守，苟能修道保法均可以全胜也；第三节自"见胜不过"至"而后求胜"，论无形之军政，在乎胜易胜之敌，在乎胜已败之敌也。所谓"先胜后求战"者，此也；第四节自"善用兵者"至末，始将修道保法揭出，以见无形之军政，全系乎内政也。

孙子曰：昔之善战者，先为不可胜，以待敌之可胜。不可胜在己，可胜在敌。故善战者，能为不可胜，不能使敌必可胜。故曰：胜可知而不可为。

右第一节，极言内政为军政之根本。"先为不可胜，以待敌之可胜"，非内政修明者，决不能有此成效。而其为之之术、待之之方，全在乎修道保法而已。"先为不可胜"者，先为敌人不可胜我之形也。"待敌之可胜"者，待敌人有可胜之形而乘之也。"不可胜在己，可胜在敌"者，不可胜者，修道保法也，故在己；可胜者，有所隙也，故在敌。"能为不可胜，不能使敌必可胜"者，修道保法在己，故能为不可胜；若敌人亦修道保法，则决不能使敌必可胜也。"胜可知而不可为"者，有形之胜可知，无形之胜不可强为也。以上总论有形则可胜，无形则不可胜。盖以修道保法，则内政修明，自然胜于无形矣。

不可胜者，守也；可胜者，攻也。守则不足，攻则有余。善守者，藏于九地之下；善攻者，动于九天之上；故能自保而全胜也。

右第二节，言攻守为有形之军政，然仍必有无形之军政，而后乃能自保而全胜也。其要仍在乎修道保法而已。"不可胜者，守也"者，未见敌人有可胜之形，己则藏形，为不胜之备以自守也。"可胜者，攻也"者，敌有可胜之形，则当出而攻之也。"守则不足，攻则有余"者，力不足则守，力有余则攻，非百胜不战，非万全不斗也。"善守者，藏于九地之下"者，喻幽而不可知也。"善攻者，动于九天之上"者，喻来而不可备也。此言以无形之军政，用之于攻守，若秘于地，若辽于天，令人不可测度。故以守则自保，以攻则全胜也，非修道保法之效哉？

  见胜不过众人之所知，非善之善者也；战胜而天下曰善，非善之善者也。故举秋毫不为多力，见日月不为明目，闻雷霆不为聪耳。古之所谓善战者胜，胜易胜者也。故善战者之胜也，无智名，无勇功，故其战胜不忒。不忒者，其所措必胜，胜已败者也。故善战者，立于不败之地，而不失敌之败也。是故胜兵先胜而后求战，败兵先战而后求胜。

右第三节，论无形之军政，有非众人之所能知、非天下之所能见者，其要在于胜易胜者、胜已败者而已。盖未战之先，即已有可胜之道、有可胜之法，并非既战而后求胜也。"见胜不过众人之所知"者，众人之所见，破军杀将,然后知胜也,故不得谓之善也。"战胜而天下曰善"者,战而后能胜,众人称之,故亦不得谓之善也。秋毫、日月、雷霆,皆众人易见易闻之事,不足言也。"古之所谓善战者胜",谓古之所贵乎战者,胜而已矣。而胜之中有道焉,所谓"胜易胜者"是也;有法焉,所谓"胜已败者"是也。"胜易胜者",以无形之道,攻敌于无形也。所谓见微察隐,破之于未形也,所以无智名、无勇功、其战不忒、所措必胜也,所谓道也。"胜已败者",以无形之法,败敌于无形也。盖察知敌人有必可败之形,然后措兵以胜之耳,所以常立于不败之地,而不失敌之败也,所谓法也。总而言之,皆计谋先胜而后兴师,故以战则克。所谓无形之军政,非众人所知也。

善用兵者,修道而保法,故能为胜败之政。兵法:一曰度,二曰量,三曰数,四曰称,五曰胜。地生度,度生量,量生数,数生称,称生胜。故胜兵若以镒称铢,败兵若以铢称镒。胜者之战民也,若决积水于千仞之谿者,形也。

右第四节,此节始将修道保法四字揭出,以见修道保法者内政也,即无形之军政也。"道"即五校之道也;

"法"即五校之法也。修之保之，即可以伺敌而败之也，谓非军政与内政之关系哉？而修道保法，则有度、量、数、称、胜五者之兵法在焉，不可不知也。"地生度"者，因地而自度其德，有德者胜也。"度生量"者，既度其德，又必量力，有力者胜也。"量生数"者，德足以胜之，力足以胜之，而军实之数不可不数也。"数生称"者，称所以权轻重也，军实充足尤必权其利害，两利相形则取其重，两害相形则取其轻。"称生胜"者，利害之轻重既审，乃可以应敌而制胜也。此以上皆修道保法者所宜知也。二十两为镒，二十四铢为两，铢轻而镒重也。"胜兵若以镒称铢"，力易举也。"败兵若以铢称镒"，轻不能举重也。八尺曰仞，"决积水于千仞之谿"，其势疾也。此以上皆极力形容胜败之形也。

势篇第五　论奇正之妙用

曹公曰："用兵，任势也。"

此一篇发明第一篇因利制权及诡道之义也。财政、外交、内政均已修明，然后可言用兵，故首篇谓五校、七事均已详备，然后为之势以佐其外。势者，帅诡道也。然诡道之界说有二：一曰奇正，一曰虚实。此篇专论奇正之诡道，以"兵事不过奇正"一句为一篇之纲领也。分四节读之：自首至"孰能穷之哉"为第一节，论势有奇正虚实，而以"战势不过奇正"一句为主脑，可见"奇正"二字，即势之确诂也；"虚实"二字，即于次篇发明之；自"激水之疾"至"如发机"为第二节，论势之形状，所谓能近取譬也；自"纷纷纭纭"至"以卒待之"为第三节，论用势之方法，乃第一篇诡道十二种之意也；自"战者求之于势"至末为第四节，论势为作战之本，特揭明择人任势四字以结束之，而复取木石以形容之也。

孙子曰：凡治众如治寡，分数是也；斗众如斗寡，形名是也；三军之众，可使必受敌而无败者，奇正是也；兵之所加，如以碫投卵者，虚实是也。凡战者，以正合，以奇胜。故善出奇者，无穷如天地，不竭若江河。终而复始，日月是也；死而复生，四时是也。声不过五，五声之变，不可胜听也；色不过五，五色之变，不可胜观也；味不过五，五味之变，不可胜尝也；战势不过奇正，奇正之变，不可胜穷也。奇正相生，如循环之无端，孰能穷之？

右第一节，以"战势不过奇正"一句为主，其余皆客也。以分数、形名二者为奇正之本体，而以虚实为奇正之妙用也。分数、形名二者，为正合也；虚实者，为奇胜。故曰"以正合，以奇胜"也。天地、江河、日月、四时、五声、五色、五味，皆有奇有正，战亦犹是也。分数者，统众既多，必先分偏裨之任，定行伍之数，使不相乱，然后可用也。形者，阵形也；名者，旌旗也。形名已定，志专势孤，人自为战，故战百万之兵，如战一夫也。奇正者，当敌以正阵、取胜以奇兵，前后左右俱能相应，则常胜而不败也。碫，砺石也。碫实卵虚，以实击虚犹以坚破脆也。"以正合，以奇胜"者，战无其诈，难以胜敌也。天地，动静不居也；江河，通流不绝也；日月四时，盈亏寒暑不停也。天地、日月、四时，以喻奇正相变、纷纭浑沌、终始无穷也。五声、五色、五味，以喻奇正相生之无穷也。战势不过奇正，此孙子大书特书之笔。明乎奇正之变，则万途千辙，乌可穷尽也？奇正相生如循环之无端，敌不能穷我也。此一节以"奇正"二字为势之确诂也。

　　激水之疾，至于漂石者，势也；鸷鸟之疾，至于毁折者，节也。是故善战者，其势险，其节短。势如彍弩，节如发机。

右第二节，论势之形状，如激水之漂石，势峻则巨石虽重不能止也；然必有节焉，如鸷鸟之能节量远近，然后能毁折物也。其势险者，如水得险隘而成势也；其节短者，如鸷鸟之发，近则搏之也。势如彍弩者，如弩之张，势不逡巡也；节如发机者，如机之发，节近易中也。此一节以水石、鸷鸟、弩机为势之喻也。

　　纷纷纭纭，斗乱而不可乱也；浑浑沌沌，形圆而不可败也。乱生于治，怯生于勇，弱生于强。治乱，数也；勇怯，势也；强弱，形也。故善动敌者，形之，敌必从之；予之，敌必取之。以利动之，以卒待之。

右第三节，论用势之方法，仍不离乎第一篇诡道十二种之意也。"斗乱而不可乱"者，分数形名，整齐严肃，自然不可乱也。"形圆而不可败"者，奇正虚实，万变不测，如环无端，自然不可败也。"乱生于治"者，伪为乱形，以诱敌人，先须自治，乃能为伪乱也。"怯生于勇"者，伪为怯形，以伺敌人，先须有勇，乃能为伪怯也。"弱生于强"者，伪为弱形，以骄敌人，先须自强，乃能为伪弱也。故曰"生"也。"治乱，数也"者，实治而伪示以乱，明其部曲行伍之数也。"勇怯，势也"者，实勇而伪示以怯，因其势也。"强弱，形也"者，实强而伪示以弱，见其形也。"形之，敌必从之"者，移形变势，诱动敌人，敌必堕我计中也。"予之，敌必取之"者，诱之以小利，敌必来取也。"以利动之，以卒待之"者，形之既从，予之又取，是能以利动之而来也，则以劲卒待之可也。此以上皆言用势之方法，无往而非诡道也。

故善战者，求之于势，不责于人，故能择人而任势。任势者，其战人也，如转木石。木石之性，安则静，危则动，方则止，圆则行。故善战人之势，如转圆石于千仞之山者，势也。

右第四节，此一篇论势为作战之本，而以择人任势为作战之归结也。"求之于势，不责于人"者，自图于中，不求之于人也。择人任势者，任人之法，使贫、使愚、使智、使勇各任自然之势也。故曰择人任势者，为全篇之归结也。末复以木石、动静、方圆、行止为任势之喻，孙子垂教万世之意，至深且远矣。

虚实篇第六　论虚实之至理

杜牧曰："夫兵者，避实击虚，先须识彼我之虚实也。"

此一篇承上篇而发明虚实之利，仍第一篇之诡道也。上篇以分数、形名为奇正之本体，而以虚实为奇正之妙用。故上篇以"战势不过奇正"一句为主，极力发明奇正之利。此篇即以"避实击虚"一句为主，以"致人而不致于人"一句为全篇之枢纽，极力发明虚实之利，仍不外乎诡道而已。宜分四节读之：第一节自首至"不致于人"，总论虚实之妙诀在乎"致人而不致于人"，而以先后劳佚四字为虚实之作用，全篇大旨尽于此矣；第二节自"能使敌人"至"可使无斗"，论虚虚实实之种种方法，其要诀仍在"致人而不致于人"也；第三节自"故策之"至"应形于无穷"，论善战者能详审乎虚实之理，而以无形为制胜之形，则虚实之义蕴毕宣矣；第四节自"兵形象水"至末，论虚实之用神妙莫测，如水、如五行、如四时、如日月，千变万化，不可方物，盖极力形容之也，总之不离乎诡道者近是。

  孙子曰：凡先处战地而待敌者佚，后处战地而趋战者劳。故善战者，致人而不致于人。

右第一节，总论虚实之妙诀在乎"致人而不致于人"而已。而所谓先后劳佚四者，即致人不致于人之妙诀，故可谓之为虚实之作用也。盖行军苟不占先制之利，则落人后；不能佚，则处于劳，而致于人矣，遑问虚实哉！以下种种虚虚实实方法，皆不外乎审先后劳佚之机而已。

  能使敌人自至者，利之也；能使敌人不得至者，害之也。故敌佚能劳之，饱能饥之，安能动之。出其所不趋，趋其所不意。行千里而不劳者，行于无人之地也。攻而必取者，攻其所不守也；守而必固者，守其所不攻也。故善攻者，敌不知其所守；善守者，敌不知其所攻。微乎微乎，至于无形；神乎神乎，至于无声。故能为敌之司命。进而不可御者，冲其虚也；退而不可追者，速而不可及也。故我欲战，敌虽高垒深沟，不得不与我战者，攻其所必救也；我不欲战，画地而守之，敌不得与我战者，乖其所之也。故形人而我无形，则我专而敌分。我专为一，敌分为十，是以十共其一也，则我众而敌寡。能以众击寡者，则吾之所与战者，约矣。吾所与战之地不可知，不可知，则敌所备者多；敌所备者多，则吾所与战者寡矣。故备前则后寡，备后则前寡；备左则右寡，备右则左寡；无所不备，则无所不寡。寡者，备人者也；众者，使人备己者也。故知战之地，知战之日，则可千里而会战。不知战地，不知战日，则左不能救右，右不能救左，前不能救后，后不能救前，而况远者数十里，近者数里乎？以吾度，越人之兵虽多，亦奚益于胜败哉？故曰：胜可为也。敌虽众，可使无斗。

右第二节，论虚虚实实之种种方法，均以"致人而不致于人"为要诀，无一而非诡道也。"能使敌人自至"者，诱之以利也。"能使敌人不得至"者，以害形之，敌患而不至也。"佚能劳之"者，使敌疲于奔命也。"饱能饥之"者，绝粮道以饥之也。"安能动之"者，攻其所爱，使不得不动也。"出其所不趋，趋其所不意"者，使敌不得往救也。"行千里而不劳，如行无人之地"者，掩其空虚，攻战其不备，虽千里之征，人不疲劳也。"攻所不守"者，攻其虚也。"守其所不攻"者，守以实也。

"敌不知其所守"者，待敌有可乘之隙，速而攻之，使其不能守也。"不知其所攻"者，常为不可胜，使敌不能攻也。"微乎神乎，无形无声，为敌之司命"者，攻守之术，微妙神密，至于无形无声，故敌人生死之命，皆主于我也。"冲其虚"者，乘虚而进，敌不知所御也。"速不可及"者，逐利而退，敌不知所追也。"攻其所必救"者，攻其要害也。"乖其所之"者，乖戾其道示以利害，使敌疑之，不敢攻我也。"形人"者，他人有形而我形不见，故敌必分兵以备我也。"十共其一"者，以我之专击彼之散，是以十共击其一也。"所与战者，约"者，以专击分，则我所敌少也。"吾所与战之地不可知"者，不使敌知也，敌不知则处处为备，故与我战者寡也。"备人"者，分兵而广备于人也。"使人备己"者，专而使人备己也。知战地战日，则可千里会战，不知战地战日，则左右前后亦不能救，不知虚实之故也。"越人之兵虽多奚益"者，越非吴越之越，《孙子十三篇》非专为攻越人作也，宜训为"过"，言兵虽过人，苟不知战地战日，亦无益于胜败也。"胜可为也"者，言敌若不知战地战日，则我之胜可为也。"敌虽众，可使无斗"者，分其力、多其备，则不可并力于斗也。此一节皆言虚虚实实之种种方法。利之、害之、劳之、饥之、动之、出之、趋之、攻之、取之、守之、固之、冲之、乖之、形之、分之、约之、寡之、右之、左之、前之、后之，总而言之，无一而非虚实之作用，即无一而非诡道也。

故策之而知得失之计，作之而知动静之理，形之而知死生之地，角之而知有余不足之处。故形兵之极，至于无形。无形，则深间不能窥，智者不能谋。因形而措胜于众，众不能知。人皆知我所以胜之形，而莫知吾所以制胜之形。故其战胜不复，而应形于无穷。

右第三节，论战善者能详审乎虚实之理，而以无形为制胜之形，则应敌形于无穷，而虚实主义蕴毕宣矣。"策之"者，策敌情而知其计之得失也。"作之"者，为之利害，使敌赴之，可知其动静也。"形之"者，形之以弱，彼必进；形之以强，彼必退；因其进退，可知彼所据之地之死生也。"角之"者，较量彼我之力，而知其有余不足也。凡此者，皆所以比较虚实之理也。"形兵之极，至于无形"者，策之、作之、形之、角之，至于其极，卒归于无形也。"无形，则深间不能窥，智者不能谋"者，无形则虽有间者深来窥我，不能知我之虚实强弱，不泄于外，虽有智能之士，亦不能谋我也。"因形而措胜于众"者，因敌变动之形，以制胜也。"人皆知我所以胜之形,而不知吾所以制胜之形"者,言人但见我胜敌之形,而不知吾所以制胜之形,乃在因敌形而制此胜也。"战胜不复"者,不循前法也。"应形无穷"者,随敌之形而应之,出奇无穷也。总而言之,所谓制胜之形,即第一篇之诡道十二种,皆因敌形而应之也,所谓形兵之极至于无形者,即以无形为制胜之形也。

> 夫兵形象水,水之行,避高而趋下;兵之形,避实而击虚。水因地而制流,兵因敌而制胜。故兵无常势,水无常形,能因敌变化而取胜者,谓之神。故五行无常胜,四时无常位,日有短长,月有死生。

右第四节,论虚实之用,神妙莫测。兵无常势,而因敌形以制胜,亦犹水之无常形,因地形而制流也,然其总诀不过曰避实击虚而已。然则避实击虚,安有一定之形乎?此所以谓无形也,亦不过因敌变化以取胜而已,可不谓神乎?末复以五行、四时、日月形容之,正以见虚实之妙用也。

军争篇第七　论普通战争之方略

曹公曰："两军争胜。"

此一篇论两军争胜之道也。庙算已定，财政已足，外交已穷，内政已饬，奇正之术已熟，虚实之情已审，即当授为将者以方略，而从事战争矣。宜分六节读之：第一节自首至"军争为危"，言军争之总方略，在乎占先制之利也；第二节自"举军"至"地利"，言军争虽以争先为第一要义，然而辎重、粮食、委积、敌谋、地形、乡导六者，亦不可不顾虑也；第三节自"兵以诈立"至"此军争之法"，论军争之动作也；第四节自"《军政》曰"至"变民耳目"，言治众之法也；第五节自"三军可夺气"至"治力"，言治气、治心、治力之法也；第六节自"正正之旗"至末，皆言治变之法也。

孙子曰：凡用兵之法，将受命于君，合军聚众，交和而舍，莫难于军争。军争之难者，以迂为直，以患为利。故迂其途，而诱之以利，后人发，先人至，此知迂直之计者也。故军争为利，军争为危。

右第一节，论军争之总方略也。军争之法，占先则利、落后则危，故必以迂为直、以患为利，能先据其要害、先得其形胜，占先制之利，则可以与人争胜也。和，军门也。"交和而舍"者，言与敌人对垒而舍也。"以迂为直，以患为利"者，谓所征之国，路由山险、迂曲而远，将欲争利，则当分兵出奇、随逐向导，由直路乘其不备急击之；虽有陷险之患，得利亦速也。"迂其途，而诱之以利，后人发，先人至"者，迂远其途，诱以小利，使我出奇之兵，后人发、先人至也，此以迂为直、以患为利之作用也。军争者，苟能明乎迂直之计，而能占先制之利，则军争为利矣；反乎此，则军争为危矣，可不慎哉！

举军而争利，则不及；委军而争利，则辎重捐。是故卷甲而趋，日夜不处，倍道兼行，百里而争利，则擒三将军。劲者先，疲者后，其法十一而至；五十里而争利，则蹶上将军，其法半至；三十里而争利，则三分之二至。是故军无辎重则亡，无粮食则亡，无委积则亡。故不知诸侯之谋者，不能豫交；

不知山林、险阻、沮泽之形者，不能行军；不用乡导者，不能得地利。

右第二节，言军争之时，虽宜先占制之利，然所当顾虑者，凡六事，不可不注意也。一曰辎重，二曰粮食，三曰委积，此大本营所当注意者也；四曰敌谋，五曰地形，六曰乡导，此前敌所当注意者也。假如举军中所有者而行，以争利，则军行迟滞矣；假如委弃辎重而争利，则军费缺乏矣。是以倍道兼行日夜百里者，则三军之将必为敌所擒也。何也？因其行军之时，强劲者在先，罢乏者在后，其能到作战区域者，不过十分之一耳。凡军行日三十里为一舍，假如日行五十里而争利，则所到者不过一半，故必蹶前军之将也。惟三十里而争利，则到者可三分之二，不失行列之政，不绝人马之利，庶几可以争胜也。综以上而观之，可知行军固贵乎占先制之利，然亦不可背乎行军原则。反乎此，则辎重、粮食、委积均不能携带，而军资匮乏矣，故此三者为大本营所当注意者也。不知诸侯之谋则不能伐谋伐交，盖不知敌谋则不能豫交也。不知山岭、险阻、沮泽之形则易陷入危险，故曰不能行军也。不用乡导，则不能知道路之利便，故曰不能得地利也。此三者，为前敌所当注意者也。此一节皆军争之时所当顾虑者也。

故兵以诈立，以利动，以分合为变者也。故其疾如风，其徐如林，侵掠如火，不动如山，难知如阴，动如雷震。掠乡分众，廓地分利，悬权而动。先知迂直之计者胜，此军争之法也。

右第三节，论军争时之动作也。"以诈立"者，以变诈为本，使敌不知吾奇正之所在也。"以利动"者，见利乃动，不妄发也。"以分合为变"者，或分或合，以惑敌人，观其应我之形然后能变化以取胜也。"其疾如风，其徐如林"者，出奇之兵，争先制之利，故宜疾如风也；本队行动，有种种顾虑，故宜徐如林也。"侵掠如火，不动如山"者，前敌宜侵掠如火，大本营宜安固如山也。"难知如阴，动如雷霆"者，大本营之计划，宜秘密不使人知，如天之阴云莫测；而前敌之行动，则当如雷如霆，着着争先，如疾雷之不及掩耳也。"掠乡分众"者，攻击得手，则当分兵为数道而搜索之，惧不虞也。"廓地分利"者，既得敌地，则当分地防御，守其要害也。"悬权而动"者，兵之主力握于总司令之手，如权衡之秤物，视敌人之弱点而攻之，视我军之薄处而助之也。凡此者，皆当预审迂直之计，乃能制胜，故曰此军争时动作之法也。

《军政》曰："言不相闻，故为鼓铎；视不相见，故为旌旗。"夫金鼓、旌旗,所以一人之耳目也。人既专一,则勇者不得独进,怯者不得独退,此用众之法也。故夜战多火鼓,昼战多旌旗,所以变人之耳目也。

右第四节,言治众之法也。军争行止,当整齐画一,故以鼓铎旌旗金火,以练军人之耳目,使其进退行止、昼战夜战均整齐画一也。

故三军可夺气,将军可夺心。是故朝气锐,昼气惰,暮气归。故善用兵者,避其锐气,击其惰归,此治气者也。以治待乱,以静待哗,此治心者也。以近待远,以佚待劳,以饱待饥,此治力者也。

右第五节,言军争之时,既已整齐画一,尤必治气、治心、治力,乃能万全也。此三者,近乎明人戚继光练心之法。"三军可夺气"者,心之怯也。"将军可夺心"者,心无主也。"朝气锐"者,心力强也。"惰"与"归"者,心之灰也。"乱"者,心不固也。"哗"者,心之扰也。"远"者,其心怠也。"劳"者,其心散也。"饥"者,其心怒也。故为将者必以练心为第一要义,其致力之方,则曰治气、治心、治力而已。

无要正正之旗，勿击堂堂之阵，此治变者也。故用兵之法：高陵勿向，背丘勿逆，佯北勿从，锐卒勿攻，饵兵勿食，归师勿遏，围师必阙，穷寇勿追，此用兵之法也。

右第六节，言军争者固以占先制之利为贵，然而兵者国之大事、死生存亡所关，不可以不慎防其变，故以此十者列举于此，以免陷入危机也。"无要正正之旗"者，恐其有备也。"勿击堂堂之阵"者，兵力厚也。"高陵勿向"者，敌若据山陵、依险阻，有负隅之势，则不可仰攻也。"背丘勿逆"者，敌若背丘陵为阵，当引致之平地，不可迎击也。"佯北勿从"者，敌方战气势未衰，便奔走而却阵者，必有奇兵伏兵，不可从也。"锐卒勿攻"者，敌方强盛，则当避之，避其锐气，当待其惰而击之也。"饵兵勿食"者，敌若以小利来饵我士卒，不可贪也。"归师勿遏"者，敌既退却，必预定收容阵地，以掩护其退却，不可遏而止之也。"围师必阙"者，敌人既被我围，则必阙其一面，示以生路，以减少两军死伤也。"穷寇勿追"者，敌既失败以解散为主，不可迫之于危地，追之则反噬，胜负未可知也。此皆示为将者，以防敌情之变、趋吉避凶之方法，皆治变之道也。此篇所论皆两军争胜之原则，神而明之，存乎其人而已。

九变篇第八　论临机应变之方略

王晳曰:"九者,数之极。用兵之法,当极其变耳。"

此一篇论为将者当极其应变之能事。故亦以将受命于君发其端,言为将者既受君之种种方略,尤不可不极其变通,故略引古之战斗原则。关于地形者,曰圮地无舍、衢地交合、绝地无留、围地则谋、死地则战,此战斗原则之不可变者也。然而事变之来,有时途有所不由、军有所不击、城有所不攻、地有所不争,极而言之,虽君命亦有所不受。君命可变,则因时制宜,无所不可变也。所以古之知用兵者,必知九变之利、九变之术。全篇主旨在于通九变之利,否则虽知地形,不能得地之利矣;在于知九变之术,否则虽知五利,不能得人之用矣。可见知地形而不知变,不可也;知五利而不知变,亦不可也。知变而不知所以必变之之术,亦不可也。总以知九变之利、知九变之术为要,此将将之要道也。宜分三节读之:第一节自首至"得人之用",言选将之法,在乎选知变之将也；第二节自"智者"至"不可攻"，论任将之法，在乎用善变之将也；第三节自"故将"至末，论杀将之法，将不知变则有覆军杀将之灾也。细读全文，知所引五种地形，乃藉此原则以发其端，此其不可变者也；而不由、不击、不攻、不争、不受，则示人以变化之方。末复以五危杀将，为不知变者警告之。孙子之用意深矣。解者多指"九变"为"九地之变"，与《九地篇》强相牵合，殊不可通也。

　　孙子曰：凡用兵之法，将受命于君，合军聚众。圮地无舍，衢地合交，绝地无留，围地则谋，死地则战。途有所不由，军有所不击，城有所不攻，地有所不争，君命有所不受。故将通于九变之地利者，知用兵矣。将不通于九变之利者，虽知地形，不能得地之利矣。治兵不知九变之术，虽知五利，不能得人之用矣。

右第一节，论选将之法，总以知九变之利、知九变之术为标准，与九地无关也。地形，即五种之地形也。然不曰"五地之形"而曰"地形"者，因此五种亦不过约略举之以为例，非必限定仅此五种地形也。况乎此五种地形，在《九地篇》仅列其四，而所谓"绝地"者，又不在九地之列而散见于九地之后；可见此篇"九变"，与"九地"无关也。其主旨在乎选将当知地形，然有时亦当知所变通。途当由也，然有时可以不由；军当击也，然有时可以不击；城当攻也，然有时可以不攻；地当争也，然有时可以不争；君命当受也，然极而言之，君命亦有时可以不受：此即所谓变也。故曰知九变之利者，知用兵矣，即可以为将矣。然苟不通九变之利，则虽知圮地、衢地、绝地、围地、死地之原则，仍不能得地之利也；苟不知九变之术，则虽知由途之利、击军之利、攻城之利、争地之利、受君命之利，而不知不由、不击、不攻、不争、不受之利，则仍不能得人之用也。《孙子》原文其义甚明也。五种地形之解释，详于《九地篇》，此处可不必赘也。"途有所不由"者，道有险狭，惧其邀伏，不可由也。"军有所不击"者，见小利不能倾敌，则勿击之，恐重劳人也。"城有所不攻"者，拔之而不能守，委之而不为害，则不须攻也。"地有所不争"者，得之不便于战，失之无害于己，则不须争也。"君命有所不受"者，苟便于事，不拘于君命也。此一节言为将者不拘常法、临事适变、从宜而行之，则可以得地之利、得人之用矣。若强将五地、五利硬作为九变，则分明十变矣，何得为九变哉，不可通者一也；若将五利中"君命"一句提出，而以五地及四利强列为九，则更支离破碎，不成文法矣，不可通者二也。总而言之，读此段文字，当以活眼观之；所举之五地，不过略举以见例，不以此五者为限也，不必与《九地篇》强为分合，以谬解乎九变也。吾故曰：九变者，极其应变之能事而已。

是故智者之虑，必杂于利害。杂于利，而务可信也；杂于害，而患可解也。是故屈诸侯者以害，役诸侯者以业，趋诸侯者以利。故用兵之法，无恃其不来，恃吾有以待也；无恃其不攻，恃吾有所不可攻也。

右第二节，此即发明九变之利、九变之术也。"杂于利，而务可信"者，在利之时思害以自慎，则众务皆信，人不敢欺也；"杂于害，而患可解"者，在害之时思利而免害，则其患解也：此皆极知利害之变也。"屈诸侯以害"者，致之于受害之地，则自然屈服也；"役诸侯以业"者，以事劳之，使不得休也；"趋诸侯以利"者，动之以小利，使之必趋也：此皆极知诸侯之变也。"恃吾有以待之"者，善攻也；"恃吾有所不可攻"者，善守也，言思患而预防也：此皆极知攻守之变也。故曰此一节即发明九变之利、九变之术也。任将如此，则无往而不利矣。

九变篇第八　论临机应变之方略

　　故将有五危：必死可杀也，必生可虏也，忿速可侮也，廉洁可辱也，爱民可烦也。凡此五者，将之过也，用兵之灾也。覆军杀将，必以五危，不可不察也。

右第三节，论为将者而不知变，则敌人则乘其隙而杀之也。盖为将者，知死斗而不知于死中求生，则敌将诱而杀之也；知贪生而见利不进，则敌将鼓噪而擒之也；知刚愎褊急而无谋，敌将侮之，使轻进而败之也；廉洁之人，可污辱而致之也；仁爱之人，攻其所爱，则彼必疲困也：凡此五者皆偏于一端而不知变。有将如此，未有不覆军杀将者也。孙子之意，盖谓为将者须识权变，不可执一道也。九变之用，不亦神哉！若必以五地、五形、四利、五事与《九地篇》强为分配，真可谓拘而寡要、劳而鲜功者矣。

行军篇第九　论行军之计划

曹公曰："择便利而行也。"

此一篇论行军之计划，当注重地形，注重侦探，注重前卫，并注重于威信教育也。分四节读之：第一节自首至"伏奸之所藏处"，论行军当相度山地、水地、泽地、陆地、胜地、险地之形势，而利用之，故曰注重地形也；第二节自"敌近而静"至"必谨察之"，论行军者当以各种侦探为原则，故曰重侦探也；第三节自"兵非贵益多"至"擒于人"，论行军时前卫之兵力及任务也；第四节总论行军者，临时当有威信，而平时当有教育也。

> 孙子曰：凡处军、相敌，绝山依谷，视生处高，战隆无登，此处山之军也。绝水必远水，客绝水而来，勿迎之于水内，令半济而击之，利；欲战者，无附于水而迎客；视生处高，无迎水流，此处水上之军也。绝斥泽，惟亟去无留。若交军于斥泽之中，

必依水草而背众树，此处斥泽之军也。平陆处易，而右背高，前死后生，此处平陆之军也。凡此四军之利，黄帝之所以胜四帝也。凡军好高而恶下，贵阳而贱阴，养生而处实，军无百疾，是谓必胜。丘陵堤防，必处其阳，而右背之。此兵之利，地之助也。上雨，水沫至，欲涉者，待其定也。凡地有绝涧、天井、天牢、天罗、天陷、天隙，必亟去之，勿近也。吾远之，敌近之；吾迎之，敌背之。军旁有险阻蒋潢、井生葭苇、山林蘙荟，必谨覆索之，此伏奸之所藏处也。

右第一节，论行军者当利用地形也。地形略分六种。一曰山地。"绝山依谷"者，言马队过山，必依附溪谷；一则利水草，一则负险固也。"视生"者，向阳也。"处高"者，居高阜也。"战隆无登"者，敌处隆高之地，不可登迎与战也。二曰水地。"绝水必远水"者，凡行军遇水欲舍止者，必去水稍远；一则引敌使渡，一则进退无碍也。"水内"者，水汭也。迎于水汭，则敌不敢济，半济则行列未定、首尾不相接，故击之必胜也。"无附于水而迎客"者，附近于水而迎客，敌必不得渡而与我战也。"视生处高"者，水上亦当据高而向阳也。"无迎水流"者，恐溉我也。三曰泽地。"斥"者，咸卤之地也。军过斥泽之地，地气湿润、水草薄恶，不可久留也。"必依水草而背众树"者，便樵汲而资险阻也。四曰陆地。"平陆处易"者，言行军于平陆，必择其坦易平稳之处以处之，使我之车骑得以驰逐也。"右背高"者，右背丘陵，势则有凭也。"前死后生"者，前低后隆，战者所便也。"四帝"者，四方之诸侯也；黄帝七十战而定天下，此即是与四方诸侯战也。五曰胜地。凡行军者，喜高贵阳，养生处实。行军者，择此种之地而处之，无有不胜矣。六曰险地。凡徒涉之处，必预防水之暴涨，故必待其定也。"绝涧"者，前后险峻，水横其中者也。"天井"者，四面峻坂，涧壑所归者也。"天牢"者，三面环绝，易入难出者也。"天罗"者，草木蒙密，锋镝莫施者也。"天陷"者，卑下污泞，车骑不通者也。"天隙"者，两山相向，洞道狭恶者也，故宜亟去也。我既远之，敌必近之；我既向之，敌必背之，故我利而敌凶也。"险"者，一高一下之地也。"阻"者，多水之地也。"蒋潢"者，蒋之潢也。（近人陆懋德引《说文》："蒋，苽也。"《淮南子·天文训》高诱注曰："苽生水上，相连大而薄也。"）"井生葭苇"者，"井"当作"并"，言险阻蒋潢之地，并生葭苇也。（孙本引《御览》）"蘙荟"者，草木之相蒙蔽也。凡此者皆险地，故必搜索之，恐其有伏兵、有奸细也。此一节备陈六种地形，皆与行军者有密切之关系也。

敌近而静者，恃其险也；远而挑战者，欲人之进也。其所居易者，利也。众树动者，来也；众草多障者，疑也；鸟起者，伏也；兽骇者，覆也；尘高而锐者，车来也；卑而广者，徒来也；散而条达者，樵采也；少而往来者，营军也。辞卑而益备者，进也；辞诡而强进驱者，退也；轻车先出，居其侧者，陈也；无约而请和者，谋也；奔走而陈兵车者，期也；半进半退者，诱也。倚仗而立者，饥也；汲而先饮者，渴也；见利而不进者，劳也；鸟集者，虚也；夜呼者，恐也。军扰者，将不重也；旌旗动者，乱也；吏怒者，倦也；粟马肉食，军无悬缶，不返其舍者，穷寇也；谆谆翕翕，徐言入入者，失众也；数赏者，窘也；数罚者，困也；先暴而后畏其众者，不精之至也；来委谢者，欲休息也；兵怒而相迎，久而不合，又不相去，必谨察之。

右第二节，论行军者当利用侦探也。侦探者，行军之耳目。侦探不确实、不详密，则兵必陷于危境，故此节列举侦探之方法也。"近而不动"者，倚险故不恐也。"远而挑战"者，欲诱我之进也。"其所居易者，利也"者，敌不居险阻而居平易，必有以便利于事也。以上三者，侦探敌人之营陈地，以便知其虚实也。"众树动"者，斩木除道而来也。"众草多障"者，结草为障，欲使我疑也。"鸟起"者，鸟起其上，下有伏兵也。"兽骇"者，凡敌欲袭我，必由他道险阻林木之中，故驱起伏兽骇逸也。"尘高而锐"者，车马行疾，仍须鱼贯，故尘高而锐也。"卑而广"者，徒步之人，行迟，可以并列，故尘卑而广也。"散而条达"者，樵采者各随所向，故尘埃散衍、条达纵横也。"少而往来"者，欲立营垒以轻兵往来为斥候，故尘少也。以上八者，侦探敌人之行军微候，以便知其行止动作也。"辞卑而益备"者，言敌人使来，言辞卑逊，复增垒坚壁若惧我者，是欲骄我使懈怠，必来攻我也。"辞诡而强进驱"者，使者辞壮，军又前进，欲胁我而求退也。以上二者，侦探敌人来使之言辞，而知其虚实。"轻车先出，居其侧"者，谓以战车先出于军之旁，可知其陈军欲战也。古用车战，若今之出军，先以骑兵搜索军之两旁也。"无约而请和"者，无故请和，必有奸谋以间我也。"奔走而陈兵车者，期也"者，必有远兵刻期接应，合势同来攻我也；若寻常之期，不必奔走而陈兵车也。"半进半退"者，诈为乱形以诱我也。以上四者，言遭遇战之侦探方法也。"倚仗而立"者，困馁之相也。"汲而先饮"者，汲者未及归营，而先饮水，是渴也。"见利而不进"者，敌见我与以小利，而不进者，可知其疲劳也。"鸟集"者，敌人若去，营幕必空，禽鸟无所畏，乃鸣集其上，故曰虚也。"夜呼"者，恐惧不安，故夜呼以自壮也。"军扰"者，军中多惊扰，可知其将不持重也。"旌旗动"者，部伍杂乱也。"吏怒"者，众悉倦弊，故吏不畏而忿怒也。"粟马肉食"者，以粮谷秣马、杀牛马飨士也。"军无悬缻"者，悉破之，示不复饮食也。"不返舍"者，昼夜结部伍也；凡此者，皆穷寇也。以上九者，惟"见利不进者"及"旌旗动者"二项，仍遭遇战之侦探方法，其余七项均敌人宿营地之侦探方法也。"谆谆"，窃议貌；"翕翕"，不安貌。"入入"者，犹如如也，安徐之意；言士卒相聚私语，低缓而言，以非其上，是不得众心也。"屡赏"为窘者，军实窘则恐士卒心怠，故行小惠也。"数罚"为困者，人弊不堪，命数罚以立威也。"先暴而后畏其众"者，先刻暴御下，后畏众叛也，是训练不精之极也。"来委谢"者，战未相伏而下意气相委谢者，求休息也。"兵怒相迎"者，盛怒出陈也。"久而不合"者，久不交刃也。"又不相去"者，复不解去也。此盖有所待也，故必谨察之，恐有奇伏旁起也。以上六者，侦探敌人内政之方法也。此一节皆论侦探为行军之要素也。

　　兵非益多也，惟无武进，足以并力、料敌、取人而已。夫惟无虑而易敌者，必擒于人。

右第三节，论行军时编制前卫之兵力及任务也。"兵非益多，惟无武进，足以并力、料敌、取人"者，言兵不贵多，惟不可刚武轻进，但使足以并其力、料其敌、取胜于人而已。此言前卫之兵力不能过多，而其任务亦不过如此而已，足矣。"无虑而易敌，必擒于人"者，言无深谋远虑，但恃一夫之勇、轻易不顾者，必为敌人所擒也。此言前卫兵力不多，若如此，则失其任务矣，故成擒也。

卒未亲附而罚之，则不服，不服则难用也；卒已亲附而罚不行，则不可用也。故令之以文，齐之以武，是谓必取。令素行以教其民，则民服；令不素行以教其民，则民不服。令素信著者，与众相得也。

右第四节，论行军者赏罚不可滥，恩威不可失，而教育不可不预也。"卒未亲附罚之，不服"者，恩信未洽，不可以刑罚齐之也。"卒已亲附而罚不行"者，恩德既洽，而刑罚不行，则骄不可用也。此二者，言赏罚不可滥也。"令之以文"者，文能附众也。"齐之以武"者，武能威敌也，故必取也。此言恩威不可失也。"令素行以教其民，则民服"者，威令旧立，教乃听从也。"令不素行，则民不服"者，民不素教，难卒为用也。"令素信著"者，言恩信素孚，则教育有方，自然与众相得也。此言教育不可不预也。总而言之，行军者临时须善用其威信，而平时不可不加意教育而已。

地形篇第十　论战斗开始之计划

曹公曰："欲战，审地形，以立胜也。"

此一篇论战斗开始时之计划，当注重地形；然能利用地形者，在乎将才，故次论将才；然将能利用地形，尤必深得军心，故次论军心。此三者皆战斗开始时所极当注意之点也。宜分四节读之：第一节自首至"地之道不可不察"，论战斗开始时，当顾虑种种地形，以定开进、展开、攻击、防御之方法也；第二节自"故兵"至"国之宝也"，论战斗时将才之关系也；第三节自"视卒"至"不可用"，论战斗时军心之关系也；第四节总论战斗时地形、将才、军心三者彼此之互相关系也，明乎此可以战矣。

孙子曰：地形有通者，有挂者，有支者，有隘者，有险者，有远者。我可以往，彼可以来，曰通。通形者，先居高阳，利粮道，以战则利。可以往，难以返,曰挂。挂形者,敌无备,出而胜之;敌若有备,出而不胜,难以返,不利。我出而不利,彼出而不利,曰支。支形者,敌虽利我,我无出也;引而去,令敌半出而击之,利。隘形者,我先居之,必盈之以待敌;若敌先居之,盈而勿从,不盈而从之。险形者,我先居之,必居高阳以待敌;若敌先居之,引而去之,勿从也。远形者,势均,难以挑战,战而不利。凡此六者,地之道也,将之至任,不可不察也。

右第一节,列举种种地形,皆论开进、展开、攻击、防御时运动军队,当顾虑各种地形而运用之也。凡遇通行之地,则当先居高阳之处,以待敌人。良以高阳之地,既无冈坡、又无要害,我先居之便于瞭望、易于转运,以战则利也。凡遇挂形之地,则当攻其无备。良以挂者,险阻之地,与敌犬牙相错、动有挂碍,若敌有备,则邀我归路,难以返也。凡遇支形之地,先出者败。良以支形者,两军隘路前,公共之平坦开阔地也。我与敌人各守高险,对垒而军,中有平地。我先出,则敌必因我之半出而击我;敌先出,则我亦必因敌之半出而击敌。故曰我出不利、彼出亦不利也,必当引而去之,伏卒待之;敌必出而蹑我后,我因其半出而急击之,则我利矣。凡遇隘形之地，必先占其隘口以待敌。良以左右高山、中有平谷，我先占其隘口，如水之盈满于器，则敌不得进也；若敌已先占，盈塞隘口而陈，则不可从也。凡险形之地，必先占其高阳以待敌。良以山峻谷深，非人力之所能作为，必居高向阳、以佚待劳，则胜矣；若敌已先占之，则不可与争也。凡遇远形之地，止可坐以致敌，不宜挑人求战也。良以营垒相远、势力又均，故挑战则我劳而不利也。此六者皆开进、展开时所最宜顾虑，以定攻击、防御之方法也，故谓之地之道。为将者，不可以不察也。

故兵有走者，有弛者，有陷者，有崩者，有乱者，有北者。凡此六种，非天之灾，将之过也。夫势均，以一击十，曰走。卒强吏弱，曰弛。吏强卒弱，曰陷。大吏怒而不服，遇敌怼而自战，将不知其能，曰崩。将弱不严，教道不明，吏卒无常，陈兵纵横，曰乱。将不能料敌，以少合众，以弱击强，兵无选锋，曰北。凡此六者，败之道也，将之至任，不可不察也。夫地形者，兵之助也。料敌制胜，计险厄、远近，上将之道也。知此而用战者必胜，不知此而用战者必败。故战道必胜，主曰无战，必战可也；战道不胜，主曰必战，无战可也。故进不求名，退不避罪，唯人是保，而利合于主，国之宝也。

右第二节，论战斗虽宜顾胜地形，而胜负之权，全系乎将才。所谓地形者，不过为兵之助而已，要在将得其人，乃能料敌制胜也。凡以一击十而胜者，必我军将之智谋、兵之勇怯、饥饱劳佚十倍于敌，乃能制胜；若势均，则必败而走矣。凡吏无统率之能力，则卒虽强而军政依然弛坏也。凡吏有刚勇之气，而士卒素乏训练，必陷于败亡也。凡大将无理而怒小将，使之心内怀不服，因缘怨怒，逢敌便战，而将又不知己之能否，自然成土崩之势也。凡将懦而不严，则士卒无常检，教育不切实，则营阵无节制，故曰乱也。凡将不能量敌情之强弱，而以少当众，不能选精锐为先锋，而以弱击强，无有不奔北者也。凡此六者，皆取败之道。故上将之道，惟在于料敌制胜，计险阻远近之地形而已矣。知地形而后战，必胜；不知地形而贸贸然战，必败之道也。战有必胜之道，虽君命不战，然可以战也；战苟无必胜之道，虽君命战，然不可战也，所谓君命有所不受也。不求名、不避罪，皆忠以为国也，唯民是保而利合于主，所以不求名、不避罪也，岂非国之宝乎！此一节论战斗之时，全系乎将才，而地形不过为将之辅助已。

视卒如婴儿，故可与之赴深谿；视卒如爱子，故可与之俱死。厚而不能使，爱而不能令，乱而不能治，譬若骄子，不可用也。

右第三节，论为将者虽知地形、虽有将才，尤宜固结军心，乃可用也。盖将之于兵，抚之如婴儿、待之如爱子，则可以得其死力，虽使之赴深谿可也。然恩不可专用，厚养之，尤必加之以劳；爱宠之，尤必施之以教；乱法者，尤必治之以罪；否则如骄子不可用矣。此一节言为将者既知地形、既有将才，尤必固结军心也。

知吾卒之可以击，而不知敌之不可击，胜之半也；知敌之可击，而不知吾卒之不可以击，胜之半也；知敌之可击，知吾卒之可以击，而不知地形之不可以战，胜之半也。故知兵者，动而不迷，举而不穷。故曰：知彼知己，胜乃不殆；知地知天，胜乃可全。

右第四节，总论战斗之时，地形、将才、军心三者彼此之互相关系。然地形与军心，尤在将之能知。故此一节"知"字凡十二见，孙子垂教后世之意，深且远矣。

九地篇第十一

论战斗得胜深入敌境之计划

王晢曰:"用兵之地,利害有九也。"

此一篇论战斗胜利后,深入敌境之计划,仍以利用地形为主要也,故以"九地"名篇。《九变篇》略举五种地形,与此篇互有详略,而此篇九地之外,复有"绝地"。盖《九变篇》意在示为将者以应变之方,故略举五地以见例;此篇意在示为将者以乘胜深入之方,故列举九地,又申之以绝地,恐为将者因胜而不设备,则深入敌境,必有全军覆没之灾也。宜分八节读之:第一节自首至"有死地",论九地之总目也;第二节自"诸侯自战"至"为死地",论九地之性质也;第三节自"是故散地"至"死地则战",论九地之作用也;第四节自"所谓古之善用兵者"至"攻其所不戒",论战斗开始时,运筹决胜之经过也;第五节自"凡为客之道"至"将军之事",论决胜后深入决死之经过也;第六节自"九地之变"至"过则从",论深入决死之时,尤必设备也;第七节自"是故不知"

至"巧能成事",论战斗终结,万全之总计划也;第八节自"攻举之日"至末,总论战斗开始、战斗决死、战斗终结三时期之纲要也。而其重要关键皆系乎地形,故以"九地"名篇。

孙子曰:用兵之法,有散地,有轻地,有争地,有交地,有衢地,有重地,有圮地,有围地,有死地。

右第一节,列举九地之名目也。

诸侯自战其地,为散地;入人之地而不深者,为轻地;我得则利,彼得亦利者,为争地;我可以往,彼可以来者,为交地;诸侯之地三属,先至而得天下之众者,为衢地;入人之地深,背城邑多者,为重地;行山林、险阻、沮泽,凡难行之道者,为圮地;所由入者狭,所从归者迂,彼寡可以击吾之众者,为围地;疾战则存,不疾战则亡者,为死地。

右第二节,论九地之性质也。"自战其地,为散地"者,士卒恋土,道近易散也。"入人之地不深,为轻地"者,初涉敌境,势轻,士未有斗志也。"我得则利,彼得亦利,为争地"者,谓山水阨口有险固之利,两敌所争也。"我可以往，彼可以来，为交地"者，道相交错也，言道路交横，彼我可以往来也。"三属"者，我与敌相当，而旁有他国也。"先至三属之地，而得天下之众，为衢地"者，三属之地，我须先至其衢，据其形势，结其旁国也。"入人之地深，背城邑多，为重地"者，入人之境已深，过人之城已多，津梁皆为所恃，要冲皆为所据，还师返旆不可得也。"山林险阻沮泽，及一切难行之道，为圮地"者，不可为城垒沟隍之地，进退艰难，而无所依者也。"由入者隘，从归者迂，彼寡可以击吾众，为围地"者，山川围绕，入则险隘，归则迂回，进退无从，虽众无用也。"疾战则存，不疾战则亡，为死地"者，山川险阻，进退不能，粮绝于中，敌临于外，当此之际，励士激战而不可缓也。此皆解释九地之性质也。

是故散地则无以战，轻地则无止，争地则无攻，交地则无绝，衢地则合交，重地则掠，圮地则行，围地则谋，死地则战。

右第三节，论九地之作用也，即战斗与地形所关之原则也。"散地则无以战"者，（"以"，与也。"无以战"者，无与战也。"以"、"与"，古通用也。）散地无关闼，卒易散走也。假如我不与战，而敌来攻，则亦不能坐以待毙，当集人聚谷、保城备险、轻兵绝其粮道，彼挑战不得、转输不至、野无所掠、三军困馁，因而诱之，可以有功；若欲野战，则必因势依险设伏，无险则隐于阴晦，出其不意，袭其懈怠：此散地无与战之妙用也。"轻地则无止"者，始入敌境，未背险阻，士心不专，无以战为务，勿近名城，勿由通路，以速进为利也。"争地则无攻"者，不当攻也，当先至以为利也。"交地则无绝"者，往来交通，不可以兵阻绝其路，当以奇伏胜也。"衢地则合交"者，诸侯三属，其道四通，我与敌相当，而傍有他国，必先重币轻使，约和旁国，交亲结恩；彼失其党；诸国犄角，敌人莫当也。"重地则掠"者，因粮于敌。凡居重地，士卒轻勇，转输不通，则掠以继食也。然近时学说恒以征发为行军要素，定以军用价目，招致商贾，则四民不扰、阻力潜消，而在敌地尤为紧要。若肆行抄掠，则商贾裹足，是自绝其粮道也。此古法之不可行者也。"圮地则行"者，难行之地，不可稽留也。"围地则谋"者，险阻之地，与敌相持，当用奇险诡谲之谋，方可以免难也。"死地则战"者，敌人大至，围我数重，欲突以出，四塞不通，惟有深沟高垒，安静勿动，告令三军，示不得已，绝去生念，砥甲砺刃，并气一力，死中求生，人人自战也。此一节备论九地与战斗之原则，示为将者遇此种战况，当顾虑地形，而不可误其原则也。

九地篇第十一　论战斗得胜深入敌境之计划

所谓古之善用兵者，能使敌人前后不相及，众寡不相恃，贵贱不相救，上下不相扶，卒离而不集，兵合而不齐。合于利而动，不合于利而止。敢问："敌众整而将来，待之若何？"曰："先夺其所爱，则听矣。"兵之情主速，乘人之不及，由不虞之道，攻其所不戒也。

右第四节，论战斗开始时，运筹决胜之经过也。言为将者，能顾虑九地之种种危险，而筹运于中，能使敌人不相及、不相恃、不相救、不相扶、不集、不齐，则必能合于利而胜矣；即令敌众整而来攻，而我复占先制之利，夺其所爱，乘其不及、击其不虞、攻其不戒，亦可以决胜矣：此一节之大旨也。"不相及"者，设奇伏以冲掩之，前后不相顾也。"不相恃"者，敌情惊挠也。"离而不集，合而不齐"者，多设疑事，声东击西，使其上下惊扰，离而不能合，虽合亦不能齐也。"合于利而动，不合于利则止"者，言虽能使敌若此，然亦须有利则动、无利则止也。假如众敌整而来攻，则必先将所恃之利而夺之，或据其便地，或略其田野，或利其粮道，自然进退听命于我矣。总而言之，兵情主速；敌人有不及、不虞、不戒之便，则须速进，不可迟疑也。此一节言用兵要旨，宜先宜速。战斗开始时，运筹帷幄之中，苟能避去九地之种种危险，而能占先制之利，以神速为主，必能决胜于千里之外也。

凡为客之道：深入则专，主人不克；掠于饶野，三军足食；谨养而勿劳，并气积力；运兵计谋，为不可测。投之无所往，死且不北。死焉不得，士人尽力。兵士甚陷则不惧，无所往则固，深入则拘，不得已则斗。是故其兵不修而戒，不求而得，不约而亲，不令而信，禁祥去疑，至死无所之。吾士无余财，非恶货也；无余命，非恶寿也。令发之日，士卒坐者涕沾襟，偃卧者涕交颐，投之无所往者，诸、刿之勇也。故善用兵，譬如率然。率然者，常山之蛇也。击其首则尾至，击其尾则首至，击其中则首尾俱至。敢问："兵可使如率然乎？"曰："可。"夫吴人与越人相恶也，当其同舟而济，遇风，其相救也如左右手。是故方马埋轮，未足恃也；齐勇若一，政之道也；刚柔皆得，地之理也。故善用兵者，携手若使一人，不得已也。将军之事，静以幽，正以治。能愚士卒之耳目，使之无知；易其事，革其谋，使人无识；易其居，迂其途，使人不得虑。帅与之期，如登高而去其梯；帅与之深入诸侯之地，而发其机，焚舟破釜，若驱群羊，驱而往，驱而来，莫知所之。聚三军之众，投之于险，此谓将军之事也。

右第五节，论决胜后深入决死之经过也。战斗既得胜利，自以深入决死为要素，故此节之首即标明"深入则专"四字。以下所论，皆深入决死时之决心、处置、理由，以及将军之心得也。宜分四段读之。

(甲) **决心**

"为客之道：深入则专，主人不克"者，使主人不能御也。

(乙) **处置**

"掠于饶野，三军足食"者，此给养之处置也。

"谨养而勿劳，并气积力；运兵计谋，为不可测"，所谓气盛力积，加以谋虑，不使敌测也，此攻势防御之处置也。

"投之无所往，死且不北"者，虽死不败也；"死焉不得，士人尽力"者，人在死地，不得不尽力也：此攻击之处置也。

(丙) **理由**

"兵士甚陷则不惧"者，三军同心，则不惧也；"无所往则固"者，无生路则固也；深入无所适，则如拘系也，不得已，则必须力斗也：此决死之理由也。

不待修整而自戒惧，不待收索而自得于心，不待约令而自亲信，禁妖祥之言，去疑惑之计，至死无有异志，此死中求生之理由也。吾士不顾财货，非恶财之多也；不苟全性命，非恶寿之多也；令发之日，士卒坐卧，未尝不涕泣涟洏，然而投之无所往，则人人肯有诸、刿之勇，如常山之蛇，首尾相应，如吴越同舟，左右相救，此人情乐生恶死之理由也。

总此以上各种理由，简练以为揣摩，皆将军之要务，故下文即论将军之心得。

（丁）将军之心得

"方马"者，缚马之足以为固也；"埋轮"者，埋车之轮，示以不动也。然而未足恃也。何也？不足以维系军心也。欲维系军心，必以军政统一为主。统一之效有三：一曰齐正勇敢，三军如一，此军政一律整饬也；二曰三军强弱，皆成一势，此地形兵器一律利用也；三曰指挥三军，如牵一夫之手，此命令一律服从也。此三者，军政统一之效也。所以为将军者，必静，静则不挠也；必幽，幽则不测也；必正，正则不偷也；必治，治则不乱也；此将军治己之学也。而其治人之学，则在愚士卒之耳目，使之但知服从命令，其他不使之知也；已行之事，有当易者，已施之谋，有当革者，但使军士服从其命令，不可使之识其理由也；更其所安之居，迂其所趋之途，亦但使军士服从其命令，不令使之知其情也；帅与之临阵之期，命令所示，往登高而去梯，可进不可退也；帅与之深入敌地，命令既发，如省括而发机，可往而不可返也；焚舟破釜，示以必死，命令惟行，若驱群羊往来，不能使之知攻取之端也。总而言之，无非聚三军之众，而投之于险，使由之而不使知之，此将军之心得也。此一节皆决胜以后，深入敌地决死之经过，分此四端读之则条理秩然矣。

九地之变，屈伸之利，人情之理，不可不察。凡为客之道，深则专，浅则散。去国越境而师者，绝地也；四达者，衢地也；入深者，重地也；入浅者，轻地也；背固前隘者，围地也；无所往者，死地也。是故散地，吾将一其志；轻地，吾将使之属；争地，吾将趋其后；交地，吾将谨其守；衢地，吾将固其结；重地，吾将继其食；圮地，吾将进其途；围地，吾将塞其阙；死地，吾将示之以不活。故兵之情，围则御，不得已则斗，过则从。

右第六节，因上文专论深入则专，故此节论深入决死之时，尤必兼顾九地之变，而设其备，庶乎可以死中求生也。故就第三节九地之作用，而申言其种种变通利用之方，其大旨亦不外乎屈伸之利、人情之理而已。第五节言为客之道，于死中求生，仍在深明九地之变，故此又列举九地之变也。盖以九地有可屈可伸之常理，不可不察也。深入则专固，浅入则散归，此人情之常理。行军作战，不尽在散地也。但使去国越境而师，则入绝地矣。绝地不列入九地之内者，因九地之法皆有变，而绝地无变，故论之于九地之外，而九地之中，不列其数也。遇四达之衢，则衢地矣。深入乎敌境，则入重地矣。浅入乎敌境，则入轻地矣。遇背固前隘之地，则入围地矣。左右前后，穷无所之，则入死地矣。其不言争地、交地、圮地者，举此可以隅反也。然则入此种九地，苟不临机应变而设之备，则死中不能求生矣。故遇散地，则当齐一士卒之心志。遇轻地，则当使士卒相联属以备不虞。遇争地，则当疾趋敌人之后；因敌向我争利，其后必虚，趋其后，则彼必还救，而所争者为我所得矣。遇交地，则谨守，惧袭我也。遇衢地，则结交诸侯，使之牢固以助我也。遇重地，则当继其粮食，不可使绝也。遇圮地，则当疾过而去不可留也。遇围地，则当塞其阙，示以不欲走之意，因敌人围师必阙也。遇死地，则当示

九地篇第十一　论战斗得胜深入敌境之计划

以不活者，示之必死，令其自奋以求生也。此皆因九地之变，示以死中求生之方，其大旨亦不外乎屈伸之利、人情之理而已。所以为将军者，必深知兵之情。然则兵之情如何？简而言之曰：兵在围地，则同心守御；不得已，则悉力而斗；陷之于过甚之地，则所谋无不从也。此一节为死中求生之道，特申言九地之作用，而示人以种种设备之方也。

是故不知诸侯之谋者，不能预交；不知山林、险阻、沮泽之形者，不能行军；不用乡导，不能得地利。四五者不知一，（按：诸家于"四五者"三字均无所发明，而曹公、张预均谓"四五"为九地之利，以四加五为九。然古人文字向无此体例，且近于儿戏，不可从也。考明人茅元仪《孙子兵诀评》作"此三者"，可见"四五者"为"此三者"之讹，盖传写时误"此"为"四"、误"三"为"五"，篆书形体相近；所谓"三者"，即上文预交、行军、地利三句。其说良是。《行军篇》"井生葭苇"，诸家皆以"井"为"并"字之讹，其说亦犹是也。）非霸王之兵也。夫霸王之兵，伐大国，则其众不得聚；威加于敌，则其交不得合。是故不争天下之交，不养天下之权，信己之私，威加于敌，故其城可拔，其国可隳。施无法之赏，悬无政之令，犯三军之众，若使一人。犯之以事，勿告以言；犯之以利，勿告以害。投之亡地然后存，陷之死地然后生。夫众陷于害，然后能为胜败。故为兵之势，在于顺详敌之意，并敌一向，千里杀将，是谓巧能成事者也。

右第七节，论战斗终结之总计划，一言以蔽之曰：巧能成事而已。《军争篇》已言不知诸侯之谋者不能预交、不知山林险阻沮泽之形者不能行军、不用乡导者不能得地利，而此复言之者，意谓欲以巧成事者，仍必以此三者为先务。预交者，即《谋攻篇》之要旨。行军者，即《行军篇》之要旨。得地利者，即《地形篇》之要旨也。此三者有一不知，则必败矣，故曰非霸王之兵也。"众不得聚"者，能知敌谋，能得地利，使之不相救、不相恃，则虽大国之众，不能聚矣。此即《谋攻篇》之所谓伐谋也。"威加于敌"，则旁国惧，而交不得合也，此即《谋攻篇》之所谓伐交也，此对于大国而言之也。"不争天下之交"者，绝天下之交也；"不养天下之权"者，夺天下之权也：亦伐谋伐交之谓也。伸己之威，拔其城、隳其国，即伐兵攻城之谓也，此对于列国而言也。"施无法之赏，悬无政之令"者，拔城隳国之时，赏罚威令，均宜不守常法常政，故曰无法无政也。此二者，警急时之军法军政也。"犯三军之众，若使一人"者，赏罚明则用多

九地篇第十一　论战斗得胜深入敌境之计划

如用寡也,即上文"齐勇若一"、"刚柔皆得"、"携手若使一人"之谓也。"犯之以事,勿告以言"者,但用以战,不告以谋也。"犯之以利,勿告以害"者,但用之于利,不令知害也。此二者,即上文"使之无知"、"使人无识"、"使人不得虑"之谓也。"投之亡地然后存,陷之死地然后生。众陷于害,然后能为胜败",此即上文"投之无所往"、"死且不北"、"死焉不得"、"士人尽力"之谓也。"顺详敌之意"者,("详",佯也。)佯怯、佯弱、佯乱、佯北,以诱敌人,即《计篇》之诡道也。"并敌一向,千里杀将"者,言用兵者能完全以上之种种计划,则可以并兵向敌,虽千里能擒其将也,此所谓霸王之兵也。然此种计划,仍不外乎以上十余篇之原则。总而言之,惟巧用之乃能成事。故以此一节,为战斗终结之总计划也。

　　是故政举之日,夷关折符,无通其使,励于廊庙之上,以诛其事。敌人开阖,必亟入之。先其所爱,微与之期。践墨随敌,以决战事。是故始如处女,敌人开户;后如脱兔,敌不及拒。

右第八节,总论战斗开始、战斗决死、战斗终结三时期之纲要也。当战斗开始之时,一则当"夷关拆符,无通其使",若今交战国宣战后,则公使下旗回国之例也;

二则当"励于廊庙之上，以诛其事"。诛者，治也，即《计篇》所谓妙算也，磨励妙胜之策，以责成其事也。当战斗决死之时，一则当乘敌人有闲隙之时而急入之，此即诡道之所谓"攻其无备，出其不意"也；二则当先夺敌人所爱利便之处，而微露师期、使间归告，然后我后人发、先人至，使误其期也，即《军争篇》之"以迂为直"之义也。当战斗终结之时，则当践履战斗之规矩绳墨，随敌之形，而与之决战，即上文"善用兵者如率然"之谓也。此一节即发明上文"巧能成事"之总纲，仍当于此三时之间深致意也。末复以处女、脱兔二者，极力形容"巧"字之义。"始如处女"者，即《形篇》"善守者，藏于九地之下"之义也。后如"脱兔者"，即"善攻者，动于九天之上"之义也。"敌人开户"者，无备也。"敌不及拒"者，攻其无备、出其不意也。此皆形容"巧能成事"之"巧"也。学者苟能于战斗开始、战斗决死、战斗终结之三时期，神明于九地之变而利用之，即霸王之兵也。

火攻篇第十二　论火攻之计划

王晳曰:"助兵取胜,戒虚发也。"

此一篇论以火力补助兵力之不及,而深戒后世之滥用火攻也。盖以兵凶战危,而火攻则尤为危险,故此篇三致意焉,仁将之用心也。宜分四节读之:第一节自首至"火队",言火攻之种类也;第二节自"行火必有因"至"风起之日",言火攻之预备也;第三节自"凡火攻"至"不可以夺",论火攻之原则,胜于水攻也;第四节自"战胜攻取"至末,论火攻不可滥用,此即首篇五校之仁也。能如此,庶乎可以安国全军矣。

> 孙子曰:凡火攻有五,一曰火人,二曰火积,三曰火辎,四曰火库,五曰火队。

右第一节,言火攻之名称也。此五"火"字之义,均系动词,如韩文"火其书"之"火"也。"火人"者,焚其营栅，因烧兵士也。"火积"者，烧其积蓄也。"火辎"者，烧其辎重也。"火库"者，烧其兵库也。"火队"者，临战之时，以火炮、火车、火牛、火燕之类，烧其队伍也。此五种之名称也。

行火必有因，烟火必素具。发火有时，起火有日。时者，天之燥也；日者，宿在箕、壁、翼、轸也，凡此四宿者，风起之日也。

右第二节，言火攻之预备也。"因"者，或因奸人，或因居近草莽也。"烟火必素具"者，贮火之器、燃火之物常须预备也。"时"者，天时旱燥，则火易燃也。"日"者，风起之日，以月之躔度，行八箕壁轸翼之次，则必有风也，此天文之学，即五校之所谓"天"也。诸家有指为迷信者，谬也。此一节凡欲用火攻者，所当预筹也。

凡火攻，必因五火之变而应之。火发于内，则早应之于外。火发而其兵静者，待而勿攻。极其火力，可从而从之，不可从而止。火可发于外，无待于内，以时发之。火发上风，无攻下风；昼风久，夜风止。凡军必知有五火之变，以数守之。故以火佐攻者明，以水佐攻者强。水可以绝，不可以夺。

右第三节，论火攻之原则，而其效果胜于水也。凡火攻者，必因五火之变，而以兵应之。然应之之法，亦有五种原则，不可不知也。一曰火发于内，则速以兵应之于外，若迟则无益也。二曰火发而敌不动，必有备也，不可遽以兵攻之，须待其变也。三曰极其火势待其变，则攻；不变则勿攻也。四曰火可以发于外之时，即应时机而发之，即上文之"日时"也。五曰发火须审量上风下风、昼风夜风。发于上风，即不可攻其下风，因敌在下风，烧之必退，若从而攻之，则我亦在下风矣，必为所害也，击其左右可也。昼风久，则可用火攻；夜风则止，不可用火攻，恐敌有伏兵，而反为其所败也。此五者皆发火之原则也。然用兵者尤必当知五火之变，不可止知以火攻人，亦当防人之以火攻我，当知日时、昼夜、风向之数，而谨守之也。然亦间有用水攻者。火攻明白易胜，故曰以火佐攻者，明也；水攻势力强大，故曰以水佐攻者，强也。然以水火两相比较，则水不过可以绝敌道、分敌军，而不可以夺敌蓄积，不若火之可以绝之，又可以夺之，可见火攻优于水攻也。此一节皆火攻之原则，较水攻尤胜也。

夫战胜攻取，而不修其功者，凶，命曰"费留"。故曰：明主虑之，良将修之。非利不动，非得不用，非危不战。主不可以怒而兴师，将不可以愠而致战。合于利而动，不合于利而止。怒可以复喜，愠可以复悦，亡国不可以复存，死者不可以复生。故明君慎之，良将警之，此安国全军之道也。

右第四节，言火攻者为害最烈，明君良将不得已而用之者也，假令穷兵黩武，恐有自焚之祸。"修"者，戢也，胜而不极之意。诸家皆训"修其功"为"行其赏"，与上下文皆不相属，且失孙子以仁治兵之要旨，不可从也。此节大旨，以为战既胜、攻既取，即当自戢其功，不然，则凶之道也。其名为耗费财用、淹留士众，国患将由此而起，是故明君必忧虑之，良将必安戢之，不肯为穷兵黩武之事。盖火攻为害甚烈，万不得已而后用之。一用之后，岂可复言兵乎！是以明君良将非有利而万无一害，则不动火攻；非有得而万无一失，则不用火攻；非危急存亡之秋，则不以火攻助战。主不可以怒而兴火攻之师，将不可以愠而致火攻之战。必合于利而始动火攻，不合于利则不用火攻，恐其反有害也。此二语曾见于《九地篇》，然彼乃论九地之利，此乃言火攻之利。说者以为重出，非也。总而言之，火攻之利害如此，其所以然者，因人心怨怒之气，有时而平；而亡国丧师，悔将无及。故曰明主因火攻而加慎，良将因火攻而致警，然后可谓安国全师之道也。孙子于《九地篇》，虽深入死地，而其机变活转，绝无危词，独于火攻则深以为戒，岂非恶其惨、畏其危，而言之慎欤！吾故曰此仁将之言也。

用间篇第十三　论妙算之作用

曹公曰："战者必用间谍，以知敌之情实也。"

此一篇发明《计篇》妙算之作用，为明君贤将之专责，非他人所能知也。盖《孙子》十三篇纲举目张，首尾连贯，其总纲均揭于《计篇》，而以次各篇则依次而发明之。《计篇》以妙算终，故十三篇以用间终也，以"仁"字为一篇之主脑，而其所最注意之点，曰亲也、厚也、密也，皆为用间者之根本问题，可谓仁将之言也。宜分五节读之：第一节自首至"知敌之情"，言用间之理由及其效果，言为将者必先知敌情，非以仁道待人，则决不能得人而用间也；第二节自"用间有五"至"反报也"，言间之种类及性质；第三节自"三军之事"至"皆死"，言间之精义也；第四节自"凡军之所欲"至"不可不厚"，言用间之方法也；第五节自"殷之兴也"至末，极言古之成大功者，无非得力于间，特引史事以证之，此其所以为神纪也。

孙子曰：凡兴师十万，出兵千里，百姓之费，公家之奉，日费千金；内外骚动，怠于道路，不得操事者七十万家。相守数年，以争一日之胜，而爱爵禄百金，不知敌之情者，不仁之至也，非人之将也，非主之佐也，非胜之主也。故明君贤将，所以动而胜人，成功出于众者，先知也。先知者，不可取于鬼神，不可象于事，不可验于度，必取于人，知敌之情者也。

右第一节，论用间之理由及其效果。因行军作战，必先知敌情，乃能制胜。然欲知敌情，必先得人以侦探其敌情，此间之所以为用兵之要。而为将者、为佐者、为主者，决不可爱惜爵禄百金以节省侦探之经费也。盖爵禄百金，与公家之奉日费千金、百姓之费七十万家，两相比较，其细已甚。而知敌情则能成大功，不知敌情则国破家亡。苟爱惜此爵禄百金，而甘于国破家亡，岂非不仁之甚哉！况乎侦探之费用，不可以预算、不可以决算、不可以付审计、不可以索证据，假令为将者既欲用间谍，而又欲综核名实，疑其不实不尽，则为间者方救过之不暇，安得侦探敌人之真情哉？如此者无以名之，名之曰"不仁"而已矣。将而不仁，则非人之将也；佐而不仁，则非主之佐也；主而不仁，则非制胜之主也。

惟明君贤将不吝小费、多养间谍、广其耳目，故能预知敌情，不动则已、动则胜人，功业卓然、超绝群众也，其效果可立而待也。故取于鬼神、卜筮、祷祝以求之者，不可谓先知也。以他事比类而求之者，不可谓先知也。以天象度数、地图比例推验而知之者，不可谓先知也。必取于人之心理，以我之心理度敌之心理，而后可以知之也。孙子当日深恶用兵者之涉于迷信，所以为此言以力辟奇门遁甲、孤虚旺相、风云占验之种种谬妄，而以取于人心为先知之秘诀也。为此道者，非仁何曰哉？

> 故用间有五：有因间，有内间，有反间，有死间，有生间。五间俱起，莫知其道，是谓神纪，人君之宝也。因间者，因其乡人而用之；内间者，因其官人而用之；反间者，因其敌间而用之；死间者，为诳事于外，令吾间知之，而传于敌间；生间者，反报也。

右第二节，言间之种类及其性质也。"因间"者，因敌之乡国之人，知敌之表里虚实，故厚抚而用之也。"内间"者，因敌之官人有贤而失职者、有过而披刑者、亦有宠嬖而贪财者、有屈在下位者、有不得任使者、有欲因丧败以求展己之材能者、有翻云覆雨常持两端之心者，如此之官，皆可以潜通问遗、厚贶金帛而结之，因求其国中之情、察其谋我之事，复间其君臣使不和也。"反间"者，敌使间来视我，我若知之则因厚赂而诱之，或佯为不知而示以伪情，使为我间也。"死间"者，作诳诈之事于外，佯漏泄之，使吾间至敌中，为敌所得，必以诳事输敌，敌从而备之，而吾之所行不然，则间必死矣；或欲杀敌之贤能，乃令死士持虚伪以赴之，吾间至敌，为敌所得，彼以诳事为实，必俱杀之也。"生间"者，选择己之有贤才智能者，通于敌之亲贵，察其动静虚实，还以报我也。此一节列举其种类性质，示人以相机而用之也。大抵因间者，乡间也，合有政治侦探之性质；反间者，合有人才侦探之性质；生间者，含有外交侦探之性质，客卿之类是也；死间者，含有国贼侦探之性质，因国贼恒以祖国秘密漏泄于外，故特为诳事以使敌人杀之也。五间之中，其四种皆所以对外，惟死间正所以对内也。

> 故三军之亲，莫亲于间，赏莫厚于间，事莫密于间。非圣智不能用间，非仁义不能使间，非微妙不能得间之实。微哉微哉，无所不用间也！间事未发而先闻者，间与所告者皆死。

右第三节，言间之精义，以亲之、厚之、密之三者，为用间之根本。亲之者，受辞指纵，在于以腹心亲结之也。厚之者，厚赏之，赖其用，非高爵厚禄不能使间也。密之者，几事不密则害成也。此三者，惟圣智之人乃能用之，圣则事无不通，智则烛照几先也。惟仁义之人乃能使之，仁者有恩以及人，义者得宜而制事。主将既能仁结而义使，则间者尽心而觇察、乐为我用也。惟微妙之人乃能得间之实，我用间以间敌，且恐敌亦因我之间而间我，故用心渊妙，乃能知其虚实也。盖用间之法，微之又微，假如间事未发，而军中有以间事相告语者，彼此皆斩之。杀间者，恶其泄也；杀告者，以灭口恐其不密也。此一节以亲之、厚之、密之为用间之精义也。

凡军之所欲击，城之所欲攻，人之所欲杀，必先知其守将、左右、谒者、门者、舍人之姓名，令吾间必索知之。必索敌人之间来间我者，因而利之，导而舍之，故反间可得而用也。因是而知之，故乡间、内间可得而使也；因是而知之，故死间为诳事，可使告敌；因是而知之，故生间可使如期。五间之事，主必知之，知之必在于反间，故反间不可不厚也。

右第四节，言用间之方法也。五间之始，皆因缘于反间，故待反间不可不厚也。反间之用法，当从两方面观之。一方面当预知敌人内部人物之姓名，以通消息也；一方面当利诱敌人所派来之使者示之以诳事，使之归报其主而失其信用也。此二者系以敌人间敌人，故曰反间可得而使也。因此反间，故敌之乡人可使之为乡间，敌之官人可使之为内间，我之亡命可使之为死间以误敌，我之贤达可使之为生间以觇敌也。然利用五间之方法，为主者必深知之。而反间尤为五间之本，故尤必厚其禄、丰其财以优待之，使其为我用也。

昔殷之兴也，伊挚在夏；周之兴也，吕牙在殷。故惟明君贤将，能以上智为间者，必成大功。此兵之要，三军之所恃而动也。

右第五节，总论间之可以兴国，举伊挚、吕牙以为例。盖伊挚者，夏之官人也，而成功于殷；吕牙者，殷之官人也，而成功于周：殆有似乎内间也。伊尹五就汤、桀；吕牙博闻尝事纣，纣无道，遂去而游说于诸侯之间，亦有似乎生间也。然伊之仕夏之年，吕之事殷之日，岂不欲化桀纣为尧、舜，拨乱世为太平？徒以纲纪废弛、道德沦替，而伊、吕当日，位卑不敢言高，越职不能言事，不得不高蹈远引，长与世辞。初何曾有佐命新朝之思想哉？洎乎汤、武革命，应天顺人，以伊、吕周知先朝掌故、人民利弊、政治得失，始以安车蒲轮、玄纁加璧，起于耕钓之中，置之廊庙之上。然则谓伊、吕为行义达道计，欲出斯民于水火而登衽席，则可也；若谓伊、吕为汤、武间谍，刺探桀、纣之不法行为，以为汤、武革命之准备，则亦不以人道待伊、吕矣。大抵易姓改玉之际，贤豪长者恒伏处于山林草泽之中，以静观世变之所极，择木而栖，相时而动。当时苟无汤、武，则伊、吕亦不过与老农老渔，长此终古而已。隐绵之士又焉用文抱璞之人，夫岂求售也哉？幸有汤、武以悲天悯人之心，行除暴安良之政，放南巢而不闻有惭德，诛独夫而不得谓之弑君，宜乎云龙风虎蔚文彩于新朝，贩负屠沽炳勋业于来祀。假如以委贽之年，即存间谍之意，则君子谓之不忠，后人论其无耻，又安足贵也？郑友贤氏谓伊、吕假道济权，无害于圣人之德，未免失之附会。赵虚舟氏谓孙子以反间待圣人，亦未免失之周内。总而言之，伊、吕在殷周之际，备知天下古今治乱兴亡之道，而不得行其志，则干莫之光彻乎霄汉，珠玉之气媚乎山川，有自来矣。加以汤、武求贤若渴，从善如流，鱼水君臣，金石契合，自然知无不言、言无不尽。夫岂间哉！夫岂间哉！孙子引用二公，意者殆欲重视间谍之人格，以为汤非伊无以知桀之失德、武非吕无以知纣之失德，一旦汤、武成功，即举一切弊政而革除之，实赖伊、吕先知之力。故虽当时不得谓之间，后世不能指为间，然自兵家学理而观之，亦可作上智之间观也，于孙子又何所诟病哉！

孙子新释

蒋百里 / 著

缘 起

往者往东，得读《大战学理》及《战略论》诸书之重译本，尝掇拾其意义附诠于《孙子》之后。少不好学，未能识字之古义，疑义滋多焉。庚戌之秋，余将从柏林归，欲遍谒当世之兵学家，最后乃得见将官伯卢麦，普法战时之普军大本营作战课长也。其著书《战略论》，日本重译者二次，在东时已热闻之矣，及余之在德与其侄相友善，因得备闻其历史；年七十余矣，犹好学不倦，每岁必出其所得，以饷国人。余因其侄之绍介，得见之于柏林南方森林中之别墅。入其室，绿荫满窗，群书纵横案壁间，时时露其璀璨之金光，而此皤皤老翁，据案作书，墨迹犹未干也。余乃述其愿见之诚与求见之旨。将军曰："余老矣，尚不能不为后进者有所尽力，行将萃其力于《战略论》一书，今年秋当能改正出版也。"乃以各种材料见示，并述五十年战略战术变迁之大纲，许余以照片一，《战略论》新版者一，及其翻译权。方余之辞而出也，将军以手抚余肩曰："好为之矣，愿子之诚有所贯彻也，抑吾闻之，拿破仑有言，百年后，东方将有兵略家出，以继承其古昔教训之原则，为欧人之大敌也。子好为之矣！"所谓古昔之教训云者，则《孙子》是也！是书现有德文译本，余所见也。顷者重读《战略论》，欲举而译之，顾念我祖若宗，以武德著于东西，犹复留其伟迹，教我后人，以余所见菲烈德、拿破仑、毛奇之遗著，殆未有过于此者也。子孙不肖，勿克继承其业，以有今日，而求诸外，吾欲取他国之学说输之中国，吾盍若举我先民固有之说，而光大之。使知之所谓精义原则者，亦即吾之所固有，无所用其疑骇，更无所用其赧愧。所谓日月经天，江河行地，放诸四海而准，百世以俟圣人而不惑者也。嗟夫，数战以还，军人之自馁极矣，尚念我先民，其自觉也。

计　篇

总说。此篇总分五段，第一段述战争之定义，第二段述建军之原则，第三段述开战前之准备，第四段述战略战术之要纲，第五段结论胜负之故。全篇主意，在"未战"二字，言战争者，危险之事，必于未战以前，审慎周详，不可徒恃一二术策，好言兵事也，摩耳根曰：事之成败，在未着手以前，实此义也。

第一段
兵者，国之大事；

毛奇将军自著《普法战史》开章曰："往古之时，君主则有依其个人之欲望，出少数军队，侵一城，略一地，而遂结和平之局者，此非足与论今日之战争也；今日之战争，国家之事，国民全体皆从事之，无一人一族，可以幸免者。"

格鲁塞维止著《大战学理》第一章，战争之定义曰：

"战争者，国家于政略上欲屈敌之志以从我，不得已而所用之威力手段也。"

伯卢麦《战略论》第一章曰："国民以欲遂行其国家之目的故，所用之威力行为，名曰战争。"

案：既曰"事"，则此句之兵，即可作战争解，顾不曰战而曰兵者，盖兼用兵即战时运用军队制、兵即平时建置军队二事而言之也。兵之下即直接以国字，则为《孙子》全书精神之所在，而毛奇之力辟个人欲望之说，伯卢麦之一则曰国民，再则曰国家之目的，皆若为其注解矣，岂不异哉！

死生之地，存亡之道，不可不察也。

案：死生者个人之事，存亡者国家之事，所以表明个人与国家之关系，而即以解释上文之大字。察者，审慎之谓，所以呼起下文种种条件。

第二段

故经之以五事，校之以计，而索其情，一曰道，二曰天，三曰地，四曰将，五曰法。

此段专言内治，即平时建军之原则也。道者，国家之政治；法者，国军之制度；天地人三者，其材料也。中国古义以天为极尊，而冠以道者，重人治也即可见《孙子》之所谓天者，决非如寻常谈兵者之神秘说。法者，军制之根本，后于将者，有治人无治法也。五者为国家未战之前平时之事业。经者本也，以此为本，故必探索其情状。

　　道者，令民与上同意也。故可与之死，可与之生，而民不畏危；

毛奇将军《普法战史》第一节，论普法战争之原因，曰："今日之战争非一君主欲望之所能为也，国民之志意实左右之。顾内治之不修，党争之剧烈，实足以启破坏之端，而陷国家于危亡之域。大凡君主之位置虽高，然欲决心宣战，则其难甚于国民会议。盖一人则独居深念，心气常平，其决断未敢轻率。而群众会议，则不负责任，易于慷慨激昂。所贵乎政府者，非以其能战也，尤贵有至强之力，抑国民之虚矫心，而使之不战。故普法之役，普之军队仅以维持大陆之和平为目的，而懦弱之政府指法适足以卷邻国自指普于危亡旋涡之内。"

此节毛奇所言，盖指法国内状而言也。拿破仑第三于俄土奥义之役，虽得胜利，仅足以维持其一时之信用，而美洲外交之失败，国内政治之不修，法国帝政日趋于危险，拿破仑第三欲自固其位，不得不借攻普之说，以博国民之欢心，遂至开战。故毛奇曰"懦弱之政府"云云。

《普奥战史》第一章摘要，自拿破仑之亡，普人日以统一德国为事，所持以号召者则民族主义也。顾奥亦日耳曼族也，故普奥之役，时人谓为兄弟战争，大不理于众口，而议会中方且与俾士麦变为政敌，举前年度之陆军预算而否决之，千八百六十六年春夏之交，普人于战略政略之间乃生大困难。盖以军事之布置言，则普国着手愈早则利愈大，而以政治之关系言，则普若先奥而动员，微特为全欧所攻击，且将为内部国民所不欲_{西部动员}时，有以威力强迫始成行者。普王于是迁延迟疑，而毛奇、俾士麦用种种方法仅告成功，苦心极矣。数其成功之原因，则一为政府之坚忍有力，二为平时军事整顿之完备，三为军事行动之敏捷，卒能举不欲战之国民而使之能战。

案：本节文义甚明，所当注意者为一"民"字及一"令"字，民者根上文国家而言，乃全体之国民，非一部之兵卒也。令者有强制之意，政府之本领价值，全在乎此。

正式之文义，例亦不胜枚举，兹特举普法战役之例，以见国民虽有欲战之志，而政府懦弱不足以用之，卒至太阿倒持，以成覆败之役。特举普奥战役之例，以见民虽不欲战，而政府有道，犹足以令之，以挽危局为安全，可见"可与之死，可与之生"两句，决非寻常之叠句文字。与民死，固难_{普奥之役之普国}；与民生，亦不易也_{普法时之法国}。

　　天者，阴阳、寒暑、时制也；地者，远近、广狭、死生也；

案：观下文天地孰得之语意，则知此所指，乃天时地利之关于国防事业者，曰阴阳，曰寒暑，曰远近，曰广狭；皆确实之事实，后人乃有以孤虚旺相等说解"天"字，而兵学遂入于神秘一门。神秘之说兴，而兵学晦矣_{另有说}，而不知孙子当时固未尝有此说也。

时制云者，"时"，谓可以用兵之时；"制"，限也，谓用兵有所限制也。如古之冬夏不兴师之谓。日俄之役必择正二月中开战，预期冬季以前可以求决战等类是。

　　将者，智信仁勇严也。

格鲁塞维止《大战学理》论军事上之天才文，摘译如左（下）：

细论　（甲）勇

战争者，危险事也，故军人第一所要之性质为勇：

勇有二：一为对于危险之勇，一为对于责任之勇。责任者，或指对于人而言，或指对于己之良心而言。兹先论第一种对于危险之勇。

此勇又有二：有永久之勇，有一时之勇。永久之勇，为不惧危险，此则或出于赋禀，或成于习惯，或由自轻其生命而生，要之皆属于恒态，永久的也。

一时之勇，由积极之动因而生，若名誉心、爱国心，及其他种种之感奋而出者是也。此种之勇，要不外乎精神之运动，属于情之区域，为非恒态。

二者效果之异，可无疑矣，恒态之勇，以坚固胜，所谓习惯成自然，无论何时，不离其人者也。感情之勇，以猛烈胜，而不拘以时。前者生节操，后者生英气，故勇之完全者，不可不并有此二者。

（乙）局面眼（慧眼）、果断

战争与劳动困苦相连，军人欲忍而不疲者，则其身心不可不具有一种堪能之力。人苟具此力，而不失其常识，则已适于战争之用。吾侪尝见半开化之国民中，颇有适于战争者，不外具此力也。

若进一步而为完全之要求，则军人不可不有智力。

战争者，推测之境界也。凡事物为军事动作之基础者，其四分之三，常不确实。譬在云雾中，或浓或淡，惟有智力者能判断之，于此中而求其真；寻常之人，或亦偶得其真，又有以其非常之勇，而补其智之所不及者，偶然而已，若综合全体而论，其平均之成绩，则不智者终不能掩其所缺。战争者，不虞之境界也。人生事业中最易与意外之危险相触者，莫如战争。主将于此不能不为之稍留余地，而诸状况不确之程度愈增，事业之进步亦愈困难。

情况之不明，预料之不确实，与意外之事变，常使主将生"所遇者恒与所期不相侔"之感。而影响即及于各种计划，其或竟举前计直弃之，而易以新，而一转瞬间，新计划之根据又不见完全。盖战状云者非一时尽现，日有所闻，日有所异，而此心常皇皇于所闻所异之中。

当此而能镇定者不可不具二种性质：一曰智，智者如行路于黑暗之中，常能保有一点之光明，而知本线之在何方者也。一曰勇，勇者使人能藉此微弱之光明，而迈往前进者也。彼法人之所谓局面眼慧眼（Coup d'oeil）者，此则谓之果断。果断云者，勇其父而智其母。

此法语之所由生，盖谓战争以战斗为主，而战斗则以时间及空间之两要素为体。当时骑兵之使用，及其急剧之决战，凡一切皆以迅速及适当之决断为成功之要诀。而形容此时间空间之目测力，谓之为慧眼。兵学者迄今以此古义释慧眼者不少，盖凡动作迫切之时而能下适当之决断者，无非由此慧眼而生。例如发见适当之攻击点等，则尤可见慧眼云者，非仅谓形体上之目，实兼指心目而言者也。

由慧眼乃生果断。果断云者，则所谓责任之勇也。又得云精神之勇，法语名之曰"心勇"，以其由智所生故也。然此勇之生，虽由于智，而其动则不由于智，而由于情。盖智者不必有勇，且多智之人，往往有临难而失其决断力者，吾侪所尝见也。故智尚矣，尤赖于情之勇。大抵人当危急之秋，与其谓为智所左右，毋宁谓为情所左右也。

临事之苦于疑虑，尤恐其陷于犹豫也，则果断要矣。世俗常以冒险大胆、暴虎冯河之勇为果断，然吾侪则以为若不具完全之理由，决不许以果断之称。完全之理由，则由智力而得者也。

果断生于智，而成于勇固矣。然观察之智，感情之勇，仅曰兼也，实犹未足。所贵者，则二者之调和力也。世有人焉，其心目颇能解释困难问题，而平生当事，亦未尝无勇。顾有一临应行果断之机会，而忽失其能力者，则智力不融洽，故不能交互而生第三者之果断也。彼无智者，即遇艰难，未尝思想，即无忧虑，幸而成功，则例外也。

是故吾辈论果断者由智力之特殊方向而生，与其名之曰英迈，毋宁谓为强硬之脑髓，左之事实则足以证之：即在下级官时，颇能决断一切，一旦进级稍高，即失其固有之能力者。盖此种人明知不能果断之害，而目下所遇诸事务，又非从前所习惯，而固有之智力，遂失其作用也。此其果敢之动作，习之愈久，犹豫之危险愈大；见之愈明，而决断力之萎缩乃愈甚。

（丙）常住心（恒）

性质之邻于果断者为常住心。当不意之事变，能得正当解决此属于智，而急危之际能保守其固有之宗旨者也此属于情，固不必属于非凡之列，盖同一事也，出诸深思熟虑之余，则为平淡无奇；而当急剧之际，乃仍不失其深思熟虑之态度，则常住心之所以可贵也。此种性质，或属于智之活动，或属于情之平衡，则视际会之何如以为定。顾智与情，二者苟缺其一，则失其常住心。

（丁）不拔、坚固、忍耐；感情及性格之强健

战争者，由四原质所成之濛气围绕之：曰危险，

曰形体之劳苦，曰不确实，曰不意是也。入此濛气中而能兼确实之动作与完全之成就者，不能不有赖于智力交互之力，战史所称述之不拔、坚固、忍耐等，要不外由此力之变化而出。简言之，则诸英雄此种性质之表现，不过自唯一之"志意力"而出。顾其现象，则相似而不相同。试分析如左：

欲使读者之想像易于明了，不可不先提起一问，曰：凡重量负担抵抗等之加于主将之心上，而足以挑起其心力者，何耶？答之者必曰：此种重量，未必即为敌人之行为也，盖敌人之行动，直接及于兵卒而已，与指挥官不相触。例如敌若延长其抵抗之时间，由二时至四时，则指挥官唯使其部下加二时间之形体危险而已。此种数量，则地位愈高，价值亦愈减，在将帅之地位言，则战斗延长二时间之差，又何足论，唯敌之抵抗次第影响于主将所有之诸材料合人员材料而言，抵抗愈久，消耗愈多，则间接及于指挥官之责任问题，则是主将所痛心，而意志之力因之触发者也。

然指挥官负担之最重且大者犹不在此。

当军队犹有勇气，犹有好战之心，则动作轻快，其劳指挥官意志之力者盖少。战况一及于困难，则如平常随意运转之机关，忽生一种抗力，非敌人之抵抗，而我兵之抵抗也，非必其抗命抗辩也当是时，抗命抗辩亦时时有之，兹所云者指概况言。

流血既多，军队之体魄道德诸力均为之沮丧，忧苦之情起于行列之间，而此情遂影响及于指挥官之心。主将于此仅持我心之不动未可也，尤贵逆众庶之心而支之。众庶之心力既不能自支，则其意志乃悉悉坠于将帅一人之上。众庶之希望冷矣，则由主帅胸中如燃之火而使之再温；众庶之未来观暗黑矣，则由将帅胸中皎洁之光而使之再明。夫如是始足以成功。非然者，将帅将自失其心力，而众庶将引将帅而堕于自卑之域，世有因危险而忘耻辱者，此其由也。是为将帅不可不支持之最大抵抗，此种抵抗，人愈多，则愈长；地位愈高，则愈重。

凡临战所以激人之感情者甚夥，其能最久而有力者，莫如名誉心。德人于此语附以好名之鄙义，盖谓滥用之，易生不正之动作者也。然溯此心发动之原，实属于人性中最高尚之域，而为战争中发生动力之枢纽。彼爱国、复仇诸感奋，或则高尚，或能普遍，或能深入，然不能驱名誉心而代之。盖爱国心等为全军所共有，非不高尚也，而主将于此则无由自别于群众，而不足生其较部下为更大之企图。名誉则按其等以差，而各种机会、各种动作，皆若为各人所私有，无不思所以利用之，以名誉为产业，而各极其鞭策竞争之致，则成功之由也。古来有大将帅而无名誉心者乎？未之见也。

坚固者，于各事之冲突上所生意志之抵抗之谓；忍耐者，则意志抵抗之自时间上言者。二者甚相近，而其本则相异。盖坚固仅由于情之强，而欲其持久不变，则不能不藉于智之彻。盖行为之继续愈长，则对于行为之计画亦愈密，而忍耐力则实生于智力之计画者也。

（戊）感情之强健

欲进论感情及性格之强健，不可不先释强健二字为何义。感情之强健云者，决非谓感情猛烈，或易于激动之谓。不论何种感动激刺，而其人常能随智力为动作者，是为感情上强健。此性质果由智力而生乎？一疑问也。世有优于智力者，而忽为情所驱使，遂妄动妄作者。论者犹得曰智有大小广狭，而此必其小而狭者也，顾吾人则以左说为近于真。

当情之炽，而能随智为转移，吾侪名斯人以为有自制之能，此自制力则生于情者也。伟人当情至于激，则别生一种情以平衡之，而亦无害于前者之激，情得其平而后智力之作用现。顾此特别之情又何自生乎？

曰生于自尊心。彼盖终身不忘为万物之灵也，故其动作不背于有智虑者之原则。吾侪以激情虽至极致，而犹能不失其平衡者，谓为感情之强健。

感情上之人物，大别为四类：第一种，为无情之人物；第二种，则情易动而常不逾矩，人所谓多情而静稳之人物；第三种，则其情易于刺激，一时虽猛烈，而消灭则甚易；第四种，则其情甚不易动，而其动也不急剧，必以时，顾一旦既动，则且强且久，既深且激。此四种之差别与体魄上亦大有关系，吾侪不欲以薄弱之哲学，为高深之研究，但举此四类人而论断其于军事上之关系，兼以释明此感情上强健之义。

无感情者，容易不失其平衡，然不能谓感情强健。盖此种人全无发动力者也。其于军事上有偏颇之器能，用之得其宜，亦足以奏多少之功，顾不能得积极之效果，然亦不至于偾事。

第二种之人物，颇足以经营小事，而临大事则易为所抑压。例如见一人之横祸，则能披发缨冠以往，而视及国运之将亡，民生之病苦，则亦徒自悲痛而不能自奋。此种人之于军事，其动作颇能和平，而不能建大功。其或智力出众，未始不可建特殊之事业，然而鲜矣。

情之易激而烈者,既不适于世矣,彼其长在于发动之强,而其短则在经过之速。此种人物若加以名誉心,则颇适于下级军官之用。盖其职务之动作,以短时间而告终也。鼓一时之勇以为大胆之攻击者,数分间事耳,反之一会战为一日数日之事,一战役为一年二年之事业也,则与此种人实不相宜。感情速而易变,一失平衡,即成丧气,是用兵者所最忌也。然必谓易于激动之人必不能保其感情之平衡,是又不然。盖易激之人,思想颇高,而自尊之情亦即由之以生,故其事之及于误也,则常惭愧不能措;故若裕以学问,加以涵养,阅历渐深,亦能及于感情强健之域。

大凡军事上之困难,犹若大容积物之压迫然,旋而转之,非大有力者不可。具有此力者,则惟此第四种具深潜激情之人。此情之动犹若巨物之前进,其速度甚小,其效果则甚大。顾以此种人为必能成功,则亦属误解,未开国之英雄,一旦因自制力之缺乏而挫折者,屡屡见也,是亦由其智力之不足,而易为情所驱使者也,然顾开明国中亦未始无之。

我侪于此不惮反覆重言以申明之,所谓感情上强健者,非其情感发动之强之谓,当强情之发能不失其平衡，而动作犹为智力所支配，譬若大舟涉风，颠倒辗转，而罗盘之针尖，常能不失其方向，是为感情之强健。

（己）性格上之强健

性格之强健云者，即人能确守其所信之谓。所谓信者，固不问其说之出于人，或出于己也。意见之变易，不必由于外来之事物，即一己智力之因果作用，亦足以生影响。故人若屡变其意见，则不能谓之为有性格之人。性格云者，确守所信，而能持久者也。如持久力或由于聪明之极或由于感觉大钝，其在军事，则印象及于感情者强，而所见所闻之变幻不可测，乃至于怀疑之，甚且举其已定之径路而逸出者，决非与世间常事所能同日语。

战时而欲决行一事，其根据大都属于臆测，决不明了。故各人意见之不同，亦以战事为最。而各印象之潮流，乃时刻迫其所信而覆之。此则虽毫无感觉之人，亦不能不有所触动，盖印象过激而强，则其势必将诉诸感情也。

故非见之极深、知之极明，则不能确守其固有之原则，以指导一切。惟原则与事实，其间常有一种间隙，弥缝于其间者，则不仅恃推测因果之智，且有赖于个人之自信力。故吾人当动作之始，不可不先有万变不离之信条。苟能确守信条，不为物动，则行为自能一贯。此则所谓性格之强健也。

感情能常得其平衡，则大有助于性格。故感情之强健者，其性格亦多然。

吾侪于此，又不能不举类似此性之执拗一言之。

执拗云者，人之所见愈于己而拒绝之之谓。既有能力足以自成一见解，则其智力必有可观者在，故执拗者非智之失而情之失也。盖以意志为不可屈，受他人之谏而不快者，要皆由于一种我见。我见云者，所谓"予无乐乎为君，惟其言而莫予违也"。世有顾影而自喜者，其性质实与执拗类。其不同者，彼则在外观，而此则在事实也。

故吾人以为感情不快之故，而拒绝他人之意见者，是为执拗，是决不能谓为性格之强健。执拗之人往往以智力不足，而不能具强健之性格者。

案：格氏此说，其论果断为智勇交互之结果，及名誉为坚忍之原动等，精矣详矣，顾仅足以解原文之半，何者？盖格氏之说，专为临战而言，而孙子之五字，合平、战两时而兼言之也。曰信，曰仁，曰严，盖实为平时所以得军心之原则。在近日之军制度修明，教育精密，则有赖于主将之德者较少，三者之用不同，而其极则为众人用命而已，此则军纪之本也。

法者，曲制，官道，主用也。

案：曲制者，部曲之制；官道者，任官之道；主用者，主将之作用也。以今日之新名词解之，则军制之大纲也。主用者最高军事机关之设备，若参谋部之独立，君主之为大元帅，皆直接关于主将能力，威严信任之作用者也。官道者所谓官长之人事也，凡进级补官等事属焉。道之字义形容尤极其妙，道者狭而且修，今观各国军人之分位令何其似也。曲制者则军队之编制也，观下文法令执行之意，则知法者含有军纪之意。国军之强弱以军纪为本，而人事整顿，部队之制度，主将之权威，实为军纪之基础，而建军之原则尽于此矣。

参照后文"凡用众如用寡者，分数是也"义，"分数"云者，即编制之义，所谓曲制者是也。

此节杜氏注谓主者，管库厮养职守，主张其事也；用者，车马器械，三军须用之物也。则似举编制经理兼言，就本节论，文义较完。惟就上下语气考之，则此节似专指编制言，故以主用为主将之作用。

> 凡此五者，将莫不闻，知之者胜，不知者不胜。

此为第二段之终，所述者，仅建军之原则，而即断之曰胜，曰不胜。可见胜不胜之根本问题，在此不在彼也。

第三段

> 故校之以计，而索其情，曰主孰有道，将孰有能，天地孰得，法令孰行，兵众孰强，士卒孰练，赏罚孰明，吾以此知胜负。

案：此则言未战以前，人主所当熟思而审处者也。死者不可以复生，亡者不可以复存，故孔子曰"临事而惧"_{临者，将战未战之际之谓}，此节连用七孰字，正以形容此惧也。

强弱无定衡，故首重在比较，然有形之比较易，无形之比较难。此节所言，则属于无形者居多。今各强国之参谋部，集全国之俊材，所以劳心焦虑、不皇宁处者，则亦惟此数问题之比较而已。此种盖有两难：

第一为知之难。吾人于普通之行事，有误会者矣，于极亲之友朋，有隔阂者矣，况乎国家之事，况乎外国之事，而又涉于无形之精神者乎？必于其政教风俗，人情历史，一一融会贯通之，而又能平其心气，锐其眼光，仅仅能得之，而未必其果然也。当俾士麦为议院攻击之时，孰敢谓普之民能与上同意也？当苦落伯脱金于俄土战役之后苦于俄土之役为参谋长，著有声誉，孰敢以今日之批评语讥之？普法战役之初期，毛奇乃与第一军长相冲突；日俄战役之终期，儿玉参谋长乃与各军长生意见，幸而战胜，故说之者寡耳，非然者则岂本亦为胜败原因之一，啧啧于人口哉！况"军纪之张弛，教育之精粗，非躬与士卒同起居，则不能识其真价"毛奇之言。而精神诸力又容为物质所误，读日俄战争前欧洲各报之评论，盖可见也。故此节曰索其情，索者探索之意，言必用力探索始能得其情也。

　　第二为较之难。较之云者，言得其彼此之差也。无论何国，有其长，必有其短，其间程度之差，有甚微而其效甚大者。今以最浅显者譬之，例如调查两军队射击之成绩，而比较之，甲平均得百分之零三即千发中中三的，乙得百分之零三五即千发中中三的半，此固有种种关系不能定为孰优孰劣，然一战役间，假定每兵彼此人数相等，则乙已可灭甲之半矣。气弱者见敌之长，见己之短二者常相因，则邻于怯；气强者见敌之短，见己之长，则邻于骄。故同一时，同一国，而各人之眼光不同，所说亦互异。为主将者，据种种不同之报告，而以一人之神明判定之，且将综合其全体譬若主有道而将未必能，截长补短，铢两悉称，于以定和战之局，立外交之方针，其非易易，盖可见矣。昔普法未战以前，法国驻普使馆武官尝列陈普军之强矣，拿破仑不之省，盖数战而骄，亦以法之地位自有史以来较普为强也。顾与其骄也，毋宁稍怯，盖怯不过失其进取之机会而已，骄则必至于败亡之祸也。

伯卢麦著《战略论》第三章，论国家之武力曰：

> 当战争时，国家欲屈敌之志以从我，则用武力，武力云者，全国内可以使用于战争之各种力之总称也。
>
> 武力中之最贵重者，曰民力，即国民之体魄、道德、智识之力也；征之于史，固有用外国兵以战者，然背于近今战争之原则，盖国民有防卫国利之荣誉义务者也。民力之大小，以其多寡及性质而定，民力者，各人之力之总积也。故随数以俱增，为当然原则，然各人之力之差则甚大，故有其数大而其积小者。勇敢质朴之人民，比之懦弱萎靡者，其数虽小，而军事上之能力转大也。
>
> 然道德、智识主力，实较体力为尤重；义务心、果断、克己、爱国精神等诸德性，其增加国民之武力者盖伟，智识之程度亦然。故战争者，国民价值之秤也，上流者安于逸乐而失德，则其军之指挥不

灵；普通人民之文化不开，则其锋芒钝。

其次为物质之资料，土地之富力，农业之情状，商工业之发达程度，及养马牧畜，皆为其重要之分子，其能确实心算者唯蓄藏于自国，或自国之出产而已，故金钱亦重要之资料也。然近世军队虽比于昔为著大，而金钱问题则转在其次。何者？盖国家使用国民材料之权利较昔为大也，近今则国民之材料愈发达，故国家间接以受其利。

雇兵之费，较征兵为大，夫人而知之矣。至有事之日，马匹及材料等非由外国购入不可者，则其国之金钱问题愈占重要位置。更进论之，则财政之整理与否，亦为国家武力之重要原则；盖财政苟整理，则能以国债集一时之现金，而取偿于将来也。

此外则国土之位置及形势及其交通线，亦为武力之一种。顾此种有对待之利害：

（甲）领域之广袤及人口之多寡。地广人稀者利于防，地密人稠者便于迅速及猛烈之动作。

（乙）国境之形状及地势。由此则国土之防御或为难，或为易。

（丙）国内之交通线。交通便利，不仅能流通各种之材料及使用各种武力，迅速萃于一处，且可保持其武力而不疲。

以上地理及统计之关系于一国之武力上,在一定范围内可以呈其各种功用,如英之海,俄之大漠,瑞西之山,或为援助,或为防御,皆有功用可言也。

国家之原质有三:曰土地,曰人民,曰主权。凡武力之关于土地、人民者,述之如上,今且论国家之主权如何。

主权者,所以萃民力、地力以供战用之主体也。其力之大小强弱,则视政体制度及施政之性质以异,而资材愈广大,则其关系愈著。欲举土地人民之全力以从事于战争,则须明察勇决,举国一致,然惟元首则明良坚确,政府则和衷共济,庶几有成;若众说纷扰,而元首无定见,则其力即弱。要之,建制适当之国家,则各机关于平时即能自奋其力,以赴元首确定之意志;一旦临战,必能发挥其力,无遗憾也。

主权虚无者也,其表现者为赋兵法,即政府依何种条件,何种范围,得以使用其国民之身体及财产,以为国务用之规定者也。详言之,则兵役之年限,现役之人数及久暂,人民备战之程度,召集之先后,征发之范围等皆是也。

凡独立国皆独立制定其赋兵法,而以国民禀性、文化程度、国家存立条件,及政事方针之种种不同,故遂至千差万别。或则以其财产生命，一一供诸国家，以图进取；或则图目前之娱乐，而不肯以保障此娱乐，故耗其财力；或以国无外患，解武装以从事于经济事业，此则由人而异者也。其国境线甚长，外兵易侵入之国，欲保其安全，则又不可与岛国、山国同日语；或界邻强敌，或界邻弱国，则其情又异；最后则战争技术上之要求，及经济与财政上之利害，皆一国制定赋兵法时所当熟思而审处者也。

然彼此依义务兵役之制，驱百万之军而求胜，则有俟乎卓绝之编制法，及国民坚实之性质。就中最重者，尤在上中两阶级人民之卓见及勇气，以瓦砾之材，泥涂黏附，墙壁虽高，不可以经风雨也。

赋兵法则陆军编制之基础也。编制之本旨，即在合民力与物产以造成适于战争之具也。民力物产原料也，依赋兵法而精制之则成物。剑之锐也，一由于钢质之良，一由于人工之巧，依赋兵法则编良材而锻炼之者，厥有赖于名工。故国家之武力，依赋兵法而出其材，依编制法而成为用。

又第四章言国家当将战未战之际，应行列为问题者五，其立说之精神，则颇足为参考。

至两国之利益相反,而不能以和平解决,则两政府之脑力,务明辨左记之五问,以为决心之基础:

第一问:敌能举若干之武力乎?

欲答此问,当先测定临战时敌国全体之武力,即我军侵入敌境时,敌之内部抵抗力之大小,及敌军侵入我境之难易是也。敌之武力或有不能用于他处者,则去除之;反之,无论出于故意,出于推测,其能受他国之援助者,则亦须加算入之。

第二问:敌将以如何气力决心战争乎?

敌人志意之强弱刚柔,视争点利益之重轻,及气概之大小为衡。

各国之气概,则由人民之性质及政治之情形而大差。同一事也,于甲国不过为皮相之激昂,于乙国则或触动其极度之决心。人民而敢为坚忍、富于爱国心,能信赖其有力之政府,则其气概,又决不可与萎靡之政府、柔弱之国民同日语。

决战意志之强弱,大都视其动因之大小,即利益之重轻以为准。国家若以存亡之故而动战争,则其刚强不屈之态,决不能与贪小利而动兵者相等。盖前者必奋战至于竭国之力而后止者,后者不过举一部之力以从事,适有不幸,即能屈从敌志以图免后患。

案：日俄之役，正其适例。日失朝鲜，三岛为之振动；俄得满洲，不过扩充一部分之边界，与欧俄之存亡关系无与也。故战役之后半期，俄人以内部扰攘之故，虽欧洲之援兵续至，宁弃南满以和。

第三问：敌人于我之武力及气力下何种观察？

敌人于临战时亦必起前之二问，故此第三问之解答，甚为紧要。政略机敏之国，则战争将起时，即于国际间监察其举动，敌若下算我之武力及气力，则其最初所举之力必不大；顾敌若一觉其误，则或即屈从我志，或即倍张其力。二者何择，亦宜预算及之。

第四问：敌当交战时，果用几许之材料？

此问之义甚广，即敌人武力、气力之性质大小，其锐气，其忍耐力，军事上之目的，及最初所举兵力之外，将来更能举若干之武力种种等皆在焉。

第五问：我若欲屈敌之志以从我，或竟使敌断绝其希望，果须若干之军资乎？我果具有此数乎？具有此数，而我目的之价值，果与此应行消耗之军资相称乎？

此五问皆相连络，故总括揭之于此。惟讨论第一问时，则我军军事之目的，首当注意，此目的则由于政略上之关系及敌之处置以生。

依正理论则外交之方针，战略之布置，皆当由此五问题而生，顾事实上则和战之局，未必悉决于正当之研究，而两国当未战之先，未必能举上文五问，一一为数学的解决也。盖彼此苟皆出于深思熟虑，则中间必有一身知奋励之无功，战争之不可以意气为，甘心其少少损失，而不敢赌存亡于一旦，此则近五十年之诸强国之所以未见战事也。

测算敌之军资，而求其正确，其为事已不易易，至欲公平秤量彼我之力，则尤属困难。盖元质之编入军资者其数极大，其类又杂，而战时不意之事变，亦影响于军资者至伟，测算者主观之谬误，犹在所勿论也。

洞见敌人政略之企图，而测定其外交上强硬之程度，亦不易易。两国宣战之言，一具文耳。世固有利用仅小之原因，而启存亡之大决战者；又或一战之后，胜者乘其余威，扩张其本来之目的者。

要之，以上五问，无论如何明察，决不能得数学之确解。其至善者，亦不过近似已耳。故贤明之政府，则于此五问之外，更生一问，曰：万一敌之力较预测为大，我之力较预测为小时，其危险之程度当在何等？故对于彼此同等抑或较强之国，尤不可不审慎出之。文明国之战争，其起也甚难，而其动也甚猛，不动则已，动则必倾全国之力，而财力、国力不许其持久，故动作尤必速而且烈。

案：伯卢麦之所谓主权云云者，即主将法令赏罚之谓；所谓民力云云者，即兵众士卒之谓；所谓有形诸物质云云者，即天地之谓。

总括智信仁勇严五项而断之，曰能。其说亦见之近今学说，能者了事之谓也。德国武人之习谚曰'不知者不能'，又曰'由知而能'，尚须一级。

天地者，彼此共有之物，而利害有相反者，故曰得。
参观上文

兵众者，指全体国民而言，士卒者指官长及下级干部言，兵众之良否，属天然者居多，故曰强；官长之教育，属人为者居多，故曰练，练者含有用力之意。法令指军事上之政令言，赏罚指全体之政令言。

> 将听吾计，用之必胜，留之；将不听我计，用之必败，去之。

案：此所谓计，即上文七种之计算也。古注陈、张之说为是，以将为裨将者非也。

第四段

此节说交战之方法，其主旨在"出其不意，攻其无备"一句。然于本末重轻先后之故，言之甚明，读者所当注意也。

> 计利以听，乃为之势，以佐其外。势者，因利而制权也。

上文之计，乃国防战略之大纲。此所谓纲，乃下文交战之方法，即战术之总诀也。此节所当注意者，在数虚字，一曰乃，再曰佐。乃者然后之意，佐者辅佐云耳，非主体也。拿破仑所谓苟战略不善，虽得胜利，不足以达目的也。计者，由我而定，百世不变之原则也；势者，视敌而动，随时随地至变而不定者也。故下文曰诡道，曰不可先传，其于本末重轻之际，揆之至深。未战时之计，本也；交战时之方法，末也。本重而末轻，本先而末后，故曰乃，曰佐。

> 兵者，诡道也。故能而示之不能，用而示之不用；近而示之远，远而示之近。利而诱之，乱而取之，实而备之，强而避之，怒而挠之，卑而骄之，

佚而劳之，亲而离之；出其不意，攻其无备；此兵家之胜，不可先传也。

出其不意，攻其无备，为交战方法之主旨。能而示之不能，以下十二句，专指方法言，盖欲实行"出其不意，攻其无备"之原则，必应用以上十二种方法，始有济也。兵家之胜云者，犹言此寻常用兵家之所谓胜云耳，非吾之所谓胜也，故曰不可先传。先者对于计字言，承上文乃字佐字之意，所以呼起下文"夫未战"之未字，言真正胜负之故，在未战之先之计算，不可以交战之方法为胜败之原，而又转以计算置于后也。此篇定名曰"计"，若将全篇一气通读，则自"计利以听"以下，迄"不可先传也"一段为本篇之旁文，更将第二段、第三段之断语"知之者胜，不知者不胜"又"吾以此见胜负矣"与此段断语一比较，其义更显。

篇中开宗明义，即曰"兵者，国之大事"，而此则曰"兵者，诡道也"，然则国之大事而可以诡道行之乎？盖此节入他人口气大约竟系引用古说，即转述兵家者言而断之曰"不可先传也"。不可先传，犹言不可以此为当务之急也，以不可先传作秘密解，遂视诡道为兵法取胜之要诀，而后世又以阴谋诡诈之故为兵事，非儒者所应道；不知孙子开宗明义即以道为言，而天地将法等皆庸言庸行，深合圣人治兵之旨，曷尝有阴谋权变之说哉？

第五段

> 夫未战而庙算胜者，得算多也；未战而庙算不胜者，得算少也。多算胜，少算不胜，而况于无算乎？吾以此观之，胜负见矣。

此段总结全篇，"计"字之义以一"未"字点睛之笔。计者，计算于庙堂之上，而必在未战之先，所谓事之成败，在未着手以先；质言之，则平时之准备有素者也。

得算多少之"多少"两字，系形容词，言上文七项比较之中，有几项能占优胜也。多算少算之"多少"两字，系助动词，言计算精密者胜，计算不精密者不胜也。

"而况于无算乎"一句，与开篇死生存亡之句相呼应，一以戒妄，一以戒愚，正如暮鼓晨钟，令人猛醒也。

版权专有　侵权必究

图书在版编目（CIP）数据

孙子浅说 / 蒋百里，刘邦骥著．—北京：北京理工大学出版社，2020.5

（古典·哲学时代 / 马东峰主编）

ISBN 978-7-5682-8239-0

Ⅰ．①孙… Ⅱ．①蒋… ②刘… Ⅲ．①兵法－中国－春秋时代 ②《孙子兵法》－研究 Ⅳ．① E892.25

中国版本图书馆 CIP 数据核字（2020）第 043183 号

出版发行 / 北京理工大学出版社有限责任公司	
社　　址 / 北京市海淀区中关村南大街 5 号	
邮　　编 / 100081	
电　　话 /（010）68914775（总编室）	
（010）82562903（教材售后服务热线）	
（010）68948351（其他图书服务热线）	
网　　址 / http://www.bitpress.com.cn	
经　　销 / 全国各地新华书店	
印　　刷 / 保定市中画美凯印刷有限公司	
开　　本 / 787 毫米 ×1092 毫米　1/32	
印　　张 / 5.375	责任编辑 / 朱　喜
版　　次 / 2020 年 5 月第 1 版　2020 年 5 月第 1 次印刷	文案编辑 / 朱　喜
字　　数 / 97 千字	责任校对 / 顾学云
定　　价 / 28.00 元	责任印制 / 王美丽

图书出现印装质量问题，请拨打售后服务热线，本社负责调换